Petites géographies

orientales

Les Éditions Marchand de feuilles
C.P. 4, Succursale Place D'Armes
Montréal, Québec
H2Y 3E9
Canada

Adresse électronique :
informations@marchanddefeuilles.com

Mise en pages : de Ligny Picard
Conception graphique : Marchand de feuilles

Image de la couverture : ©John Elk

Distribution et diffusion: Marchand de feuilles

L'auteur remercie le Conseil des Arts du Canada,
ainsi que le Conseil des Arts et des Lettres du Québec pour leur soutien financier.

Le Conseil des Arts | The Canada Council
du Canada | for the Arts

CONSEIL
DES ARTS ET DES LETTRES
DU QUÉBEC

Données de catalogage avant publication (Canada)
Vincelette, Mélanie, 1975-
Petites géographies orientales
ISBN 2-922944-01-8
I. Titre.
PS8593.I445P47 2001   C843'.6   C2001-941086-7
PS9593.I445P47 2001
PQ3919.2.V56P47 2001

Dépôt légal : 2001
Bibliothèque nationale du Québec
Bibliothèque nationale du Canada

Mélanie Vincelette

Petites géographies orientales

récits

Marchand de feuilles

Les titres suivants ont préalablement été publiés par l'auteur

Le baiser de Judas, **Saisons littéraires**, Guérin Éditeur, 2001, Montréal.

Le fantôme affamé, **Archipel**, no 17, Juin 2001, Anvers, Belgique.

Blue Valley tea made in Malaysia, **Salmigondis**, no 17, Été 2001, France.

Cuando el amor como una inmensa ola, **Portique**, numéro 42, Avril 2001, Puyméras, France.

Timbres, **Liberté**, numéro 251, Février 2001, Montréal.

Silences, **XYZ**, numéro 64, Hiver 2000, Montréal.

Nomadismes, **Moebius**, numéro 84, Hiver 2000, Montréal.

Le fantôme affamé, **Liberté**, numéro 240, Décembre 1998, Montréal.

Le voleur dans la maison vide, **Liberté**, numéro 236, Avril 1998, Montréal.

Une pluie d'Extrême-Orient. Le son du pigeon vert, **Brèves littéraires**, numéro 3, Octobre 1997, Montréal.

Le fantôme affamé

Singapour, marché des voleurs, tombée de la nuit. Mes mains se rafraîchissent, plongées dans des morceaux de soie de couleur or et safran. L'encens parfume les ruelles étroites et donne des teintes bleutées à l'air immobile. Son odeur me rappelle celle des pagodes du Laos. Des femmes aux gestes pressés se procurent des bols à aumône argentés, des feuilles de bananier et des liasses de fleurs d'indigotier. Elles se préparent pour le festival des fantômes affamés qui doit durer trois jours. Cette cérémonie transforme les rues en bazar féerique où des dragons urbains dansent au rythme des gongs. Les Chinois de Singapour posent, pendant ces journées, des plats remplis de riz et de canard rôti sur les trottoirs devant leur porte. Ces plats sont des offrandes à leurs ancêtres qui doivent voir leur faim apaisée afin de calmer leur ressentiment ou leurs élans momentanés de vengeance qui est restée inexprimée pendant leurs jours sur terre. Pendant ces journées carnavalesques, les chats errants se prennent pour des ancêtres lointains et se retrouvent devant un buffet éternel à chaque coin de rue. Le dos courbé et les yeux à l'affût des voyeurs, ils se régalent d'offrandes alors que la ville a le dos tourné. Dans les semaines qui suivent le festival, les femmes des différentes familles se vantent respectueusement, lors des parties de *maajong,* où le thé vert coule à flot, de l'appétit de leurs ancêtres qui ont tout avalé. Ce qui leur portera chance.

Dans ce marché où autrefois les pirates venaient vendre de l'opium, de l'or rose et des soieries, j'observe les conversations des femmes. J'envie leur candeur. Je voudrais nourrir mes fantômes et me vanter de leur appétit. Mais je suis Blanche et je marche dans des rues inconnues que j'ai trop bien appris à connaître. Je marche devant les éventaires et je te regarde. Tu es là, près de moi et je t'aime. Je t'aime de loin. En silence. Ta peau est blanche comme la mienne. Un homme essaie de me vendre un canard pékinois glacé au miel. Il le tient suspendu par les pieds au bout d'un crochet rouillé. Toi, tu regardes un match de boxe thaï avec quelques marchands regroupés autour d'une télévision. Je me demande comment tu peux à la fois t'intéresser à la boxe et aux conversations enflammées à propos des vers de Césaire, des romans de Rushdie et d'autres auteurs dont je suis amoureuse. Une vieille femme, assise par terre à coté d'immenses paniers en osier remplis de fruits à l'écorce brunâtre, me propose un prix spécial si j'en achète un kilo. Un chat maigre et sale est affalé sur le pavé à ses côtés, il baille comme seuls les chats savent le faire avec élégance, la bouche ouverte vers le ciel.

Dans le ciel, il y a Orion. Des marchands font griller du *satay* sur des braises. Je voudrais que parfaite soit la nuit dans laquelle nous nous enfonçons. Je voudrais étreindre ton corps et entendre le battement de l'hélice du ventilateur fixé au plafond de notre chambre. Je voudrais que tu m'aimes dans cette chambre qui donne sur la rue. Je voudrais que tu m'aimes, nos corps plongés dans les bruits du festival. Nos corps dénudés.

Le bruit de la ville près de nous, si près qu'on entendrait son frottement contre le bois des volets. Je toucherais ton corps dans ce bruit, ce passage. Un enfant me propose des limes vertes, je les refuse. Il me montre les jaunes. Je suis en train de rejeter mon corps comme on rejette un poumon fraîchement greffé. J'ai le spleen de Singapour car je t'aime . J'ai honte. J'ai honte car je sais qui tu es. Je sais que tu es mon ami depuis quelques années. Je sais que tu es aussi l'ami le plus fidèle de celui que je vais épouser. Tu m'accompagnes dans les rues de Singapour, tu m'accompagneras à travers la Malaisie, la Thaïlande et le Laos où celui que j'épouserai m'attend. Nous attend. Tu seras à la cérémonie de mon mariage. Tu porteras un sarong tissé de fil vert empereur et tu te plaindras, comme à ton habitude dans les cérémonies bouddhistes, d'avoir à t'asseoir en position de prière. Tes jambes en souffrent.

Depuis quelques semaines, nous traversons les paysages célestes de Java dans des tuk-tuk, des autobus, des trains bondés de jeunes hommes fraîchement sortis des jungles de Sumatra, de Hollandais qui se croient toujours au temps de la colonie, de Japonais en vacances et de moines en robe orange qui nous fixent. Tu m'accompagnes et moi, lorsque je lis un passage d'amour dans un roman, je pense à toi en silence.

Il y a six jours, dans le train entre Borobudur et Jakarta, nous dormions ensemble sur la même banquette, et ton bras a enveloppé mon corps dans l'égarement du sommeil. J'ai pleuré. J'ai pleuré sans bruit jusqu'à ce que les fenêtres du train projettent sur ma cornée inondée des images filantes et impressionnistes. Des images de rizières ensoleillées peuplées de paysans la faux à la main. Ma tristesse est importée des hauts-plateaux du Laos où celui que je dois épouser est ton frère, sauf que ses yeux sont noirs et allongés comme la feuille du bambou. Parfois je souhaite que tu le trahisses, que tu oublies le Laos et que tu m'emmènes vers la mer de la Chine du Sud. Cette mer que personne ne connaît, où l'eau bleue engloutit quelques îles malaises alourdies par les plantations de caoutchouc. Là-bas, nous pourrions aimer le sable. Un homme me fait goûter à un petit pain rond et sucré qu'il appelle d'une voix forte *moon cake*. Nous sommes ici, dans le quartier chinois de Singapour et, ce soir, dans notre chambre, le ventilateur me volera mon sommeil. Je me consolerai car je sais que nous vivons une histoire d'amour comme Platon le voulait et que notre amitié surpasse celle de plusieurs amants. Quand ta main frôle la mienne dans les marchés bondés de l'Orient qui nous emporte, c'est comme si tu me faisais l'amour. Sauf qu'on ne se dégoûtera jamais l'un de l'autre. Hier, dans le port, alors que tu étais à la recherche d'un talisman en jade pour ta mère, j'ai lu une nouvelle de Marguerite de Navarre intitulée *De deux amants par désespoir d'être mariés ensemble se rendirent en religion : l'homme à Saint-François, et la fille à Sainte-Claire.* Je sais que notre union nous protège de ce sort. Demain, je poserai un plat sur le seuil de notre porte et je ne saurai jamais si mes ancêtres seront venus car je serai dans un autobus entre Johor Bahru et Kuala Lumpur, à la recherche de la candeur et de l'oubli.

Silences

Silences

C'est dans le train entre Jérusalem et la frontière syrienne que j'ai rencontré Élie. Il était assis en face de moi. Par la fenêtre, le paysage défilait. Nous étions sur la route des rois, aux portes du désert syrien, et des chameaux marchaient paresseusement le long des cryptes enchantées de Pétra. Ils avançaient jusqu'aux eaux tièdes de la mer Morte.

Après deux heures de traversée et de regards esquivés, Élie est descendu du train, qui s'était arrêté momentanément pour permettre l'embarquement de nouveaux voyageurs. Je ne connaissais pas encore son nom. Il a acheté deux paquets de cigarettes et un briquet d'un marchand ambulant un peu gros qui portait un chapeau turc écarlate. De retour à son siège, Élie m'avait offert une cigarette. Sur son front perlait la sueur des jours d'été. Ses cheveux mouillés collaient sur ses tempes. La fumée qu'il expirait formait des nuages autour de son visage. Il portait un jean bleu élimé et un T-shirt blanc immaculé. Autour de son cou pendaient deux appareils photo. Sur sa peau reposait une fine chaîne en or avec des inscriptions arabes. Sa mère la lui avait offerte comme porte-bonheur. Il ne devait pas avoir plus de trente ans. Un Arabe du désert aux mains rugueuses. Un Bédouin moderne.

Nous nous dirigions tous les deux vers le désert. Deux étrangers assis face à face, ne cherchant pas de mots pour meubler le silence. Je venais de te laisser aux portes de la Jordanie, toi, celui que j'aimais car j'étais trop enivrée par cet amour que je n'arrivais plus à comprendre. Je suis montée dans le train avant qu'il soit trop tard. Avant que tu ne manifestes plus aucun sentiment pour moi. Avant de devenir la femme d'un homme qui rentre tard à la maison les mardis soirs. Avant qu'on n'ait plus rien à se dire. Avant tout cela, j'ai pris le train et je me suis retrouvée assise face à un étranger. Je ne savais pas encore pourquoi Élie, lui, fuyait vers le palais des vents. Je lui ai adressé la parole quand le train est sorti de la gare d'Azraq.

Il allait prendre des photos de tribus nomades qu'il tenterait de vendre à des revues françaises et américaines. Il m'a suggéré de le suivre. Il y a des gens à qui on fait confiance très vite, comme si on les connaissait depuis longtemps. Élie était de ceux-là.

Je me suis donc retrouvée avec Élie dans le désert. Pour ne pas me perdre. Son père avait été chef caravanier, il connaissait bien les dunes, il y était presque né. La nuit venue, comme un marin en mer, il retrouvait son cap grâce aux étoiles. Sur cette ancienne route de l'encens qu'empruntaient les pèlerins vers la Mecque, j'ai entendu le silence. Sur cette route qui a vu déambuler des princes, des pirates, des messagers, des prophètes, des magiciens, des rois mages, je marchais et j'étais censée t'aimer. Mais je préférais le silence suspendu dans l'air comme un secret oublié. Je marchais avec un autre, je marchais avec Élie. Cet homme que je venais de rencontrer et avec qui j'avais le luxe de me sentir seule, car il savait s'effacer dans la solitude. Dix jours de marche sans un mot. Parfois son silence était tellement profond que sa personne toute entière se dissolvait dans le grand désert de sel et c'était comme si je m'y retrouvais seule. Sans lui. Comme si je ne le voyais plus. Je marchais à reculons pour observer mes pas dans le sable. Pour ressentir ma propre présence. Mes empreintes avaient un tout petit peu modifié le grand désert où les fleurs sont sans parfum et la beauté est dans les yeux des nomades. Seule, je m'étais évadée de toi et de la Jordanie. Seule, j'étais libre. Ou presque.

Les paroles éparses d'Élie s'écoulaient comme dans un sablier. Il parlait seulement la nuit lorsque l'étoile du nord était haute dans le ciel. Ma première nuit dans le désert, le troisième lundi après le ramadan, il racontait que les barbiers syriens, autrefois, remplissaient trois fonctions : circoncire, couper les cheveux et arracher les dents. Élie fumait du kif et buvait du thé à la menthe dans un verre. Et moi, je buvais dans son verre. C'est un usage courant chez les fumeurs de kif dans les cafés populaires d'Amman. Ils échangent des gorgées de thé en signe de fraternité. Dans le désert, le rituel du thé est un moment où l'on célèbre le plaisir d'être ensemble, la nuit, autour du feu. Élie servait le thé dans des petits verres peints en versant de très haut, pour que le liquide mousse abondamment et développe tout son arôme. Il est coutumier de boire trois verres. Les chameliers disent que le premier est amer comme la vie, le deuxième fort comme l'amour et le troisième suave comme la mort. Je ne sais combien de verres nous avons bus. Tout ce dont je me souviens, c'est du goût du thé et du sentiment d'être assise sous l'univers.

La deuxième nuit, il m'a parlé des vents. Du *aajej*, vent qui souffle sur le sud du Maroc, effleurant le dos des dunes sahariennes. De l'*africo* qui souffle le sable jusqu'à la place de Saint-Pierre, à Rome. Du *soussou*, ce vent d'automne qui traverse le Sahel depuis Khartoum au Soudan, jusqu'à l'embouchure du Nil blanc et du Nil bleu. Du *datoo*, de Gibraltar, qui transporte avec lui des parfums d'Alger. Mais le vent qu'il préférait était le *rabia* de Jordanie, qui glisse sur Amman dans les jours qui suivent le ramadan et transporte avec lui le renouveau de l'amour. C'était une nuit claire et la lune formait un grand cercle qui touchait presque le sable.

Je me souviens mal des jours. Le soleil altérait les couleurs. Écrasait. Le sable lisse des dunes arrondies par le vent devenait blanc sous la chaleur. Le sable blanc, comme un piège brûlant sous nos pieds. Élie et moi, liés par le sable et le silence. Le silence comme outil de survie pour contrer la soif. Nos lèvres rougies par le mouvement de nos langues gonflées, lourdes et rugueuses. Nos papilles ouvertes et roses, en attente de quelques gouttes éparses. Les paroles nous auraient étourdis dans l'écoulement de la salive. Des nuits, par contre, je me souviens. Elles venaient comme une rédemption. Le son des nuits était celui de la respiration des chameaux. L'air était bleu, je pouvais le prendre dans ma main. La nuit éclairait tout. On y voyait le fond du monde et le fond de nous-mêmes dans le bleu de l'horizon qui apparaissait sans limites.

Le soleil s'était déjà effacé et la troisième nuit commençait lorsque, au loin, on entrevit un troupeau de chamelles à la traîne d'un homme, comme si elles faisaient partie de son harem. Il portait, drapé autour du cou, de la tête et de la bouche, un drap de lin teint avec les résidus de la fleur d'indigotier. Cet homme était Touareg. Un homme bleu du désert qui nomadisait un peu plus loin que les autres. Une rareté dans ces coins du monde. Les Touaregs sont des hommes du Sahara, et devant nous s'étendaient les sables de la Syrie. Élie m'a fait comprendre que, dans la vaste étendue de sable, les voyageurs solitaires étaient les bienvenus. On leur offrait le gîte et le couvert en échange des nouvelles qu'ils apportaient. L'étranger était venu boire dans nos verres, attiré par la lueur de notre feu. Quand il parlait, sa respiration faisait des nuages dans le froid de la nuit désertique. Je voyais aussi le souffle qui sortait des narines de nos chameaux en deux lignes droites. Le nomade, voyant que j'avais froid, m'a recouverte d'une lourde couverture. Quand il s'est penché vers moi, j'ai vu, dans son cou, un collier argenté au bout duquel pendait l'étoile du sud, la boussole que les hommes bleus du désert utilisent pour orienter leur silence. Élie traduisait les paroles du nomade qui affirmait que mes cheveux avaient la couleur des dunes de sable du désert de Judée. Élie semblait gêné d'avoir prononcé ces paroles, comme si elles étaient les siennes. Pour changer de sujet, il s'est donc mis à parler de ses rencontres avec les Touaregs dans le désert algérien. Il m'a dit que le mot *touareg* signifie *abandonné de Dieu*. Ce peuple nomade règne depuis plus de mille ans sur un empire sans frontières. Cette nuit-là, devant notre invité, Élie m'a raconté que ces hommes savaient se contenter de ce qu'ils avaient, qu'ils pouvaient tout faire avec rien, qu'ils se nourrissaient de quelques dattes séchées, arrosées d'une gorgée de lait aigre, qu'ils faisaient leur toilette avec un verre d'eau et qu'ils effectuaient, avant la prière, les ablutions rituelles avec du sable lorsque l'eau devenait trop rare. Dans le secret des tentes, les femmes avaient offert à Élie l'explication de la mystérieuse tradition du port du voile bleu qui masque le visage des hommes de leurs tribus. Un jour, les hommes touaregs furent défiés par les Chaamba, les nobles du désert Nord Saharien. Aucun touareg ne vint au rendez-vous. Il ne fallut rien de moins que les moqueries de leurs femmes pour les décider à combattre. Ils le firent de si mauvaise grâce que leurs ennemis n'eurent aucune peine à les vaincre. Quand ils revinrent dans leur campement, honteux et confus, les femmes furieuses les condamnèrent à porter le voile à leur place.

Cette nuit-là, sous la tente, dans l'égarement du sommeil, la main d'Élie s'était collée contre la mienne. Et j'avais entendu l'homme bleu du désert, qui dormait près du feu, parler dans une langue qui m'était inconnue. J'ai pensé au proverbe touareg qu'il m'avait cité : *Il faut éloigner nos tentes pour rapprocher nos coeurs.*

Le désert est rempli d'histoires. Lors de la quatrième nuit, Élie m'a raconté la plus belle que je devais entendre. C'était l'histoire d'un poète de l'ancienne Arabie. Ce poète compte parmi ceux que les Musulmans ont appelés par la suite les *poètes de l'ignorance*. Les poètes d'avant l'avènement de l'Islam. L'histoire est celle de Jamil et de Boutayna. Jamil, le grand poète arabe, métis par sa mère, travaillait au palais et était amoureux de Boutayna, une jeune princesse à la peau blanche comme les grandes mosquées du Caire. Le père de Boutayna avait lancé ironiquement à Jamil un défi impossible « Si tu me donnes mille chamelles rouges, je te donnerai la main de ma fille en échange. »

Jamil parcourut six contrées en quatre mois et présenta au père mille chamelles rouges. Le père révoqua sa promesse. Boutayna fut promise à un sultan de Syrie. Mais le poète ne pouvait se soustraire à cet amour fervent. Il n'écrivait plus, car il disait que son encre était noire et avait une odeur de tristesse. Chaque année, il faisait trois mois de route à dos de chameau pour rencontrer sa princesse pendant quelques instants. Cette rencontre annuelle absorbait toute sa pensée et son énergie. Trois mois de sable, de désert, de montagne, de chaleur, pour quelques secondes d'éternité, de bonheur. Trois tristes mois pour le retour dans la pluie, la tempête, la douleur, le vent du nord. Trois mois pour ensuite arriver chez lui et ne penser qu'à reprendre la route. Mais le plus étonnant de cette histoire, c'est le grand respect du poète pour la tradition et l'intégrité de sa bien-aimée. Lorsqu'il la rencontrait, il plaçait son chameau entre leurs deux corps pour éviter de porter atteinte à l'union sacrée de son mariage. Ils parlaient, la bête placée entre eux comme un gage d'honnêteté et de loyauté au grand amour qu'il portait en lui. Trois mois de route pour entendre sa voix mêlée à la respiration d'un chameau. Trois mois de route pour entrevoir furtivement sa bien-aimée avant de placer le chameau entre leurs deux corps. Trois mois de route pour voir flotter au vent, entre les narines du chameau, le voile de sa bien-aimée. Après dix ans d'allers et de retours, Jamil fut tué par des brigands, des chameliers qui traversaient le grand désert de sel. On dit que Boutayna, apprenant la mort de Jamil, devint folle, quitta son mari et se mit à errer dans le désert comme une bohémienne.

La nuit suivante, Élie m'a parlé de sa petite fille, qu'il avait dû quitter car sa femme ne voulait plus de lui. La dernière fois qu'il avait vu sa fille, il l'avait scrutée pour l'apprendre, pour imprimer son image dans sa mémoire. Le reste de la nuit a été un long silence. Il y a des silences que l'on n'oublie jamais. Comme des tempêtes violentes dans la nuit.

Les cinq jours ensoleillés qui ont suivi ont été lents. J'attendais de me réfugier dans la nuit, qui arrive comme une consolation. Parmi les étoiles, j'ai vu tout l'univers. Les villes-lumières, les gratte-ciel, les banlieues, les murs, les remparts, les hommes endormis. J'oubliais l'image de celui que je devais aimer. Celui que j'avais abandonné aux portes du désert. Élie ne m'a pas adressé la parole après l'histoire de sa petite fille. Dans son silence était entassé tout son malheur. Il était allongé près du feu sur une couverture de laine. Je suis allée vers lui pour qu'il reconnaisse ma présence et je me suis allongée le long de son corps. Il tremblait de froid et de désir. Son corps embaumé des odeurs du désert. Sa peau salée sous ma langue. Il me regardait les yeux fermés. Il respirait mon visage. Les yeux fermés, il respirait ma respiration, cet air chaud qui sortait de moi. Nous nous sommes aimés, nous nous sommes perdus. En quelques secondes, l'erreur que nous avions faite avait gagné tout l'univers.

Le lendemain, j'ai dû reprendre la route seule. Nous n'aurions pas pu continuer de marcher en silence, et c'était la seule façon de marcher dans le désert.

Quand je pense à Élie, je vois une lettre arabe. Je vois une main d'homme, un pinceau à calligraphie gorgé d'encre noire et du papier de riz blanc, très blanc. Le pinceau guidé par la main d'homme enduit le papier. Je ne sais pas pourquoi cette image me vient à l'esprit. Mais elle vient.

Le son du pigeon vert

Penang, ville chinoise de la Malaisie du nord. La symphonie apaisante d'une pluie estivale berce mes oreilles. Ses airs sont agressifs et réguliers, mais légèrement allégés par le bruit du vent. Le torrent heurte durement le pavé. À l'intérieur d'un autobus délabré aux vitres embuées par la respiration de gens en exil, je fuis la chaleur des basses terres pour me trouver dans la fraîcheur des montagnes du centre, la fraîcheur des plantations de thé de Thana Rhata. Une dame, portant un sarong en batik dans les teintes de rouge et un chandail taché par la pluie, vient poser un large panier à mes côtés. Il est rempli de calmars séchés et salés. L'odeur me dérange. Un vieillard, tout petit, avec une chemise à col Mao bleu ancien et le dos légèrement courbé, secoue son parapluie à l'entrée du bus. Il vient s'asseoir derrière moi. Son parapluie me fascine. Il me rappelle ces parapluies exotiques que les serveurs en smoking déploient dans les cocktails exotiques des casinos de Las Vegas.

Le contrôleur circule dans la rangée et vérifie les billets. L'autobus démarre. Dans mes mains je tiens le *Kama Sutra*, le traité hindou de l'art d'aimer. C'est le seul livre en langue française que j'ai pu dénicher depuis des mois. J'imagine qu'il devait appartenir à un touriste parisien de retour d'un long séjour à Bangkok.

Ses pages cachent le secret des huit formes de baisers qui peuvent être posés sur les lèvres d'une jeune vierge (quatre douces et quatre chaudes), les dix catégories d'égratignures qui peuvent être laissées dans la chair tendre du corps de l'amant (y compris la blessure du couteau, la demi-lune, la griffe du tigre et la feuille de lotus) et les cinquante variétés de sons qui peuvent être produits pendant l'amour (par exemple le pleur léger, des mots de louange, de douleur ou de prohibition, le son du pigeon vert, du cygne, du flamant rose, de la caille ou de l'abeille). Je souris quand je tourne la page et découvre que le chapitre cinq traite des morsures amoureuses.

Je suis distraite dans ma lecture par une légère pression sur le dos de mon siège. Tournant légèrement la tête, je vois que le vieillard à la veste Mao m'observe par la fente entre mon siège et celui qui est vide à côté de moi. Nos yeux rapprochés se touchent presque, je trouve étrange qu'il ne détourne pas le regard, gêné par le mien. Je sors de mon sac un morceau de durian bien mûr. Les Malais adorent ce fruit à la peau hérissée de piquants durs et verts, mais il est habituellement interdit dans les endroits publics car il dégage une odeur nauséabonde. Je me rappelle avoir vu dans le métro de Singapour des affiches montrant un durian à l'intérieur d'un cercle rouge traversé d'une barre oblique. Je porte un morceau de fruit à ma bouche, son goût est sucré. L'homme derrière moi a encore le nez entre les deux sièges. Il observe avec une fascination singulière chacun de mes mouvements. Je me demande s'il a faim mais je n'ose lui offrir du durian. Je poursuis ma lecture. Je sens ses yeux bridés dans mon cou. Je l'invite alors à occuper le siège vide près de moi. Il ne parle que le mandarin, mais accepte avec le sourire d'un enfant. Pendant les longues heures précédant mon arrivée à Thana Rhata, l'homme au col Mao feuilleta le *Kama Sutra* d'un air étonné, dégusta avec une extrême politesse quelques morceaux de durian et mit ses mains ridées dans mes cheveux pour les caresser. Peut-être était-il fou, mais il me réconforta encore plus que les sons de la pluie que j'aime tant. J'étais réconfortée car je ne comprenais pas les mots qu' il me racontait en mandarin. J'étais réconfortée car, pour une fois, le silence qui s'infiltrait sournoisement dans la conversation de deux étrangers n'était pas lourd. Je me suis endormie sur son épaule frêle. Il est descendu à Ipoh, à soixante kilomètres de Thana Rhata, son parapluie chinois à la main.

Le voleur dans la maison vide

Vientiane, ville sacrée du Laos méridional. La fumée de ma cigarette avait touché le blanc de mon oeil. Mes cils s'étaient relevés, puis baissés deux fois pour balayer l'intruse. Dans mes mains, Pablo Neruda me racontait ses centaines d'amours. En face de moi, une table se balançait sur sa patte trop courte. J'étais sur la rive gauche du Mékong, l'eau s'enlaçait entre les feuilles de nénuphars et des lanternes rouges dansaient avec le vent dans ce café laotien au plancher en terre battue. De l'autre côté du fleuve, la Thaïlande s'enterrait dans un noir de velours au rythme des lumières qui s'éteignaient. Le ciel était muet, les étoiles se taisaient, la nuit dormait et, au milieu de tout ce silence, il y avait moi. Deux moines ramaient dans une barque au rythme de leur prière. Leurs mouvements étaient lents. Je les observais et désirais leur vie sans désir. Les moines bouddhistes vivent de dons, de prières et de méditation. À l'ombre des bouddhas en or, ils n'ont le droit de posséder que neuf objets sur cette terre : un rasoir, trois robes rouge safran, un récipient pour l'eau, un éventail, une ceinture de cuir et un bol à aumônes.

Ne rien désirer. Je venais de m'apercevoir qu'il était superflu de feindre encore de lire, qu'il m'était également impossible de m'occuper de quoi que ce soit, et que rien ne pouvait empêcher mon âme de succomber sous le poids des jours à venir. Quand le soleil renaîtra des eaux du fleuve et que les pêcheurs lanceront leurs filets, je sentirai contre mon corps mouillé par la chaleur le frottement d'une robe bleue étroite en soie, brodée de fils d'or. La robe de mariage traditionnelle du Laos. Je savais que ce n'était qu'un symbole qui n'aurait pas sa place dans les registres officiels du Canada. Ici, une Blanche s'apprête à épouser un Phakaikham. À la maison, les femmes s'affairaient dans la grande cour, sous le cerisier, à installer des tentes de draps de lin blanc parsemées de pétales d'orchidées. Pendant une semaine, elles ont préparé du poulet mariné dans du lait de coco, de la soupe au sang de canard, de la salade de papaye aux feuilles de basilic, du riz gluant entassé dans des paniers de bambou. Elles avaient, pendant de longues journées chaudes, orchestrées par le tonnerre de la mousson, décoré la maison, préparé les offrandes pour les moines, enfilé du fil dans une aiguille pour coudre ma robe, parlé de la couleur dorée de mes cheveux sans que je les comprenne avec ce rire des femmes quand les maris sont absents.

Je sais que ce n'était rien d'autre qu'une cérémonie où les hommes auraient la chance de boire de l'alcool de riz fermenté à la bile de bœuf, où ils auraient la chance de perdre aux cartes toute la nuit. J'ai envie de retenir mon souffle, de plonger dans l'eau du fleuve et de nager jusqu'à Nong Khai, de l'autre côté, en Thaïlande.

Le jonc en or birman, je le porte toujours. Parfois, quand j'ouvre un livre ou que j'écris sur du papier blanc, mon oeil se pose sur l'anneau d'or rose. Alors je me rappelle le Laos. Je me rappelle les nuits exténuantes dans la chaleur immobile, monumentale. Je me rappelle aussi d'une journée d'automne à la cathédrale Saint-Étienne, à Vienne, sur le Graben, où j'avais échangé une autre bague, cette fois, sans prêtre ni cérémonie. Dans ces moments, je me demande pourquoi, à force d'adorer l'amour, je fais un dieu de ma passion. Je cherche, comme un voleur dans une maison vide.

L'odeur de la canne à sucre

Alexandra est née pour être une héroïne. Elle a une tragédie grecque inscrite dans les yeux. Dès son enfance, elle a eu la prescience d'une vie d'intrigues, d'aventures, de voyages mais aussi de jours tristes, infiniment. Elle a vécu son enfance dans un pays d'arbres, un pays sans histoire. Un pays dépourvu de héros. Un pays où les héros se suicident. Son père était un homme érudit. Professeur d'histoire dans une université, il aimait laisser croire aux gens qu'il avait du sang indien. Les fins de semaine, à l'automne, il apprenait à Alexandra comment marcher sur les feuilles mortes sans faire un bruit, à la manière des Iroquois, lors de la chasse. L'été, il lui taillait des morceaux de papier dans l'écorce du bouleau et elle dessinait dessus avec de l'encre de chine noire. Elle peignait surtout des âmes de monstres et des pirates avec des yeux en vitre. Quand l'hiver venait, la neige remplissait la forêt et son père lui avait acheté de toutes petites raquettes. Ils se promenaient entre les arbres et il lui montrait du doigt les traces des différents animaux qui peuplaient la forêt laurentienne. Les empreintes du lièvre étaient les plus belles. Les promenades hivernales étaient les plus longues. Parfois, exténuée de ne pas voir de feuilles sur les arbres, elle se laissait tomber dans la neige, regardait le ciel et refusait de bouger. Parfois, elle ouvrait la bouche et se remplissait des flocons qui fondaient sur sa langue. Elle avait de profondes

fossettes dans les joues qui laissaient leurs marques longtemps après que son sourire eût quitté ses lèvres. Son
père, un peu plus loin, se rendant compte qu'il avait
perdu son petit sherpa revenait sur ses pas et se laissait
tomber à côté d'elle. Il lui avait montré comment faire
des anges dans la neige.

Alexandra est l'amour de ma vie. Je la connais depuis des siècles. Maintenant je me souviens des étés que
nous passions ensemble à la campagne, au chalet de ses
parents. Je me souviens des journées de pluie, accrou-
pies sur la grande galerie. Alexandra récitait des vers de
Rilke pour concurrencer les bruits du torrent. Lors des
journées ensoleillées, nous parcourions la grève pendant
des jours. Le sable collait à nos peaux bronzées. Je me
souviens de nos expéditions en canot. Pêcher de la
truite tôt le matin et des barbottes l'après-midi. On
plongeait dans l'eau pour observer les barrages de cas-
tors. On faisait chavirer notre canot comme Saint-
Denys-Garneau. En feignant la mort, on laissait flotter nos corps, la tête vers le creux de la rivière, les cheveux flottant à la surface. On feignait le naufrage quand
on voyait un passant. Après tous ces ébats, on se laissait sécher au soleil avec le chant de la cigale en bruit
de fond. Le soir, on s'obstinait à dormir dans l'herbe
avec les étoiles collées au visage et le feu de camp qui
crépitait à nos pieds, nos bouches pleines de guimau-
ves. En regardant les étoiles on inhalait tout l'univers.
On faisait des vœux à voix haute quand on voyait des
étoiles filantes. Je me souviens qu'elle cessait de respi-
rer pendant quelques secondes quand, au mois d'août,

il y avait des aurores boréales. En apnée, elle me regardait avec un demi-sourire. Les fougères jusqu'au cou, on frissonnait à chaque fois qu'une chauve-souris passait près de nos têtes. Quand la pluie se mettait à tomber, chassées de notre lit végétal, on allait dormir sur l'immense balcon.

Demain, Alexandra ne sera plus mienne. Elle sera mariée et je serai sa demoiselle d'honneur. Je pique avec un fil et une aiguille quelques fleurs sur son voile. Elle me fait confiance. Alexandra feuillette des catalogues de jardinage pour commander par la poste des impatientes de Nouvelle-Guinée, ces fleurs rosées qui poussent préférablement à l'ombre. Dans la cour arrière de son appartement de la rue de Bullion, il y a un petit jardin zen avec un cours d'eau artificiel qui coule entre trois roches grises. Je me souviens de ces nuits d'été où nous dormions ensemble dans son futon plein de poils de chat. Elle me parlait de l'aloès qu'elle voulait faire pousser mais le climat ne le permettait pas. Dans l'Amérique précolombienne, les jeunes filles mayas enduisaient leur visage du jus de l'aloès pour séduire les jeunes garçons. Les Indiens Jivaros s'enduisaient le thorax de pulpe d'aloès pour se rendre invincibles. Elle me parlait d'herboristerie et nous avions la vie devant nous. Je me souviens d'un matin de la Saint-Patrick, le jour où nous étudiions pour le dernier examen de l'année, mon père était venu nous porter un café irlandais bien parfumé. Nous étions libres.

Elle parle de son voyage de noces. Un mot qui m'est presque étranger. Elle se retrouvera à Hanoi et découvrira le Vietnam en longeant sa côte Est. Je lui avais tant parlé de l'odeur de la canne à sucre dans la plaine alluviale du Mékong, en toussant un peu, un poil de chat dans la gorge. Les neuf bras du Mékong qui se jettent dans la mer de la Chine méridionale. Les neuf dragons comme disent les Vietnamiens. Alexandra y sera avec son mari. Et, sur le bac qui relie Vinh Long et la route de Saigon, ils n'auront déjà plus rien à se raconter.

J'ai envie de lui dire de ne pas le faire. De ne pas se marier. De ne pas devenir ordinaire. J'ai envie de lui écrire une longue lettre. Mais il y a des choses qu'on ne peut pas faire, comme écrire des lettres à une partie de soi-même.

Timbres

J'ai longtemps confondu exotisme et timbres-poste. Leurs manguiers en fleurs et leurs perroquets bleus, leurs photos de princesses iraniennes et leur bordure dentelée m'enflammaient. Ils me transportaient vers Puerto Rico en pleine mer des Caraïbes, sur la route des Andes en Argentine, vers les maisons colorées de La Havane, à l'ombre des pamplemoussiers près de Miami, en Floride. Le timbre tenait captive une petite image, une seule, et cette image contenait tout un pays, avec ses routes et ses océans. Un timbre oblitéré était toujours plus séduisant qu'un timbre vierge. Le timbre ne déployait ses délices qu'après avoir voyagé sur une enveloppe.

Au mois de septembre dernier, j'attendais un timbre de France. Mais brusquement, le timbre ne m'importait plus autant que l'enveloppe sur laquelle il était collé, la lettre qui était à l'intérieur de l'enveloppe, l'encre qui enduisait la feuille blanche, l'idée qui se formait dans l'encre. J'attendais une lettre d'amour.

J'avais passé l'été à Savan, petite ville du Laos méridional, assoupie sur les rives du Mékong. Là-bas, avant la tombée de la nuit, le soleil glisse sur les façades des grandes maisons coloniales abandonnées, et les hommes jouent à la pétanque dans la grande cour face à l'hôtel de ville.

C'est à Savan que je t'ai rencontré et que je t'ai aimé. Tu habitais la France depuis des années, mais tu étais de retour dans ton pays natal pour assister aux funérailles de ta grand-mère. C'est avec ton grand-père que j'avais fait connaissance en premier. Le soleil était haut dans le ciel, les enfants étaient affalés à l'ombre sous les arbres et dormaient en rêvant aux dragons qui peuplent les eaux du fleuve. Un tout petit garçon aux yeux de métisse, mi-ronds, mi-bridés, était assis le dos contre un arbre, incapable de s'endormir à cause de la chaleur. Il baillait, excédé, et une larme roulait sur sa joue. La ville entière dormait enveloppée dans un long soupir. Sur la véranda d'une grande maison blanche, un vieillard se berçait. Il m'interpella dans un français impeccable :

— Mademoiselle ?

— Oui, répondis-je

— Mademoiselle, ma femme vient de mourir et j'ai envie de fumer, mais mes enfants me l'interdisent. Si vous me donnez une de vos cigarettes, je vous réciterai un poème de Victor Hugo.

Cet après-midi-là, cet homme de quatre-vingt-six ans m'avait parlé de l'amour comme d'une cité interdite, une pagode scintillante, un fleuve calme, un étang de lotus roses. Sa femme était morte depuis deux jours et il acceptait son sort avec le calme qu'enseigne le Bouddha. Il était assis à l'ombre et buvait du pastis. Il est entré dans la maison pour aller chercher ses médailles de guerre : ses petites étoiles en métal doré, ses trophées de courage. Il me les montrait une à une les tenant au creux de sa main. Il portait un complet beige avec une chemise à manches courtes ornée de grandes poches au devant. Un habit que l'on porte aujourd'hui pour aller en safari. Un habit comme ceux que portaient les Français quand ils se croyaient maîtres de l'Indochine. Sur la partie droite de sa chemise était épinglé un petit carré de tissu noir, pour montrer qu'il portait le deuil. Il m'a invitée à souper avec sa famille le soir suivant.

C'est là que je t'ai rencontré pour la première fois. J'ai mis mon sarong laotien élimé et j'ai remonté mes cheveux en chignon en piquant deux baguettes en ivoire au centre pour les retenir. Avant de sortir, j'ai retiré les baguettes de mes cheveux, les laissant tomber sur mes épaules. Mais, consciente de mon goût ridicule pour les chinoiseries, j'ai jeté les baguettes sur le sol et je suis sortie par la porte avant. Elles roulaient encore sur le parquet inégal quand j'ai dévalé les escaliers.

C'est toi qui m'as accueillie à mon arrivée. Toi aussi tu portais le deuil sur ta chemise. Tu m'as fait entrer dans la maison. L'intérieur était peint en vert tendre comme les nouvelles pousses de riz qui m'ont poursuivi jusqu'à Savan. Je me suis agenouillée devant la table où il y avait la photo de ta grand-mère et des dizaines de bougies allumées. Tu étais derrière moi, et je sentais que tu regardais le dessous de mes pieds noircis. Après le souper, nous étions allé marcher sur les rives du Mékong. Je me souviens des moustiques qui me mordaient les jambes et du vent qui était presque frais.

La nuit nous renvoyait une image noircie de la Thaïlande de l'autre côté du fleuve. C'était une de ces nuits où l'on consent à se perdre dans la douceur de l'instant présent. Nous avons marché vers la maison de ta jeunesse, et tu m'as raconté comment toi et ta famille aviez fui le pays en traversant le fleuve en secret. Ton grand-père n'était même pas au courant. Ce soir-là, tu jouais avec tes amis dans la rue, et ta mère t'avait appelé en te demandant d'aller te laver pour aller au cinéma. C'était un mardi, et le cinéma était normalement réservé aux sorties du samedi. Tu savais qu'il y avait quelque chose d'étrange dans l'air. Quelque chose d'inhabituel.

Je tombe toujours amoureuse des Orientaux. Il y a un calme dans leur visage. Des visages qui ressemblent à ceux des statues de Bouddha qui parsèment les pagodes enfouies au fond des campagnes. Des visages impassibles. J'ai fui la capitale, Vientiane, éplorée car celui que j'avais aimé pendant des années ne m'aimait plus. Et maintenant, toi, tu étais entré dans ma vie parce que ton grand-père m'avait récité quelques vers des *Feuilles mortes* de Victor Hugo. Quand tu m'as raconté que tu étais peintre, que tu avais fait l'école des beaux-arts en Normandie, j'étais bouleversée. Sur le pavé noir de la rue, devant la maison, tu as fait un tableau qui représentait, dans un style très académique, les amours de Psyché. En regardant cette toile asphaltée, je savais que tu pouvais m'aimer, que tu en avais la force. Mais mon corps n'était rien de plus qu'un cadavre. Une dépouille fraîchement embaumée par mon départ de Vientiane.

Savan me calmait mais il était trop tôt. Aimer, c'est risquer sa vie et je préférais la solitude.

Le lendemain du souper familial, je suis retournée passer l'après-midi sur la véranda avec toi et ton grand-père. Il t'a demandé de chanter un peu de Piaf. Ton talent de chanteur me faisait rire. Nous avons ri ensemble longuement et souvent dans la chaleur de l'après-midi. Je tolère mal cette chaleur. De grosses gouttes d'eau descendaient le long de mes tempes, et tu as essuyé ma sueur du revers de la main. Nous avons joué aux cartes, à des jeux que je connaissais mal, et ton grand-père avait raflé tout mon argent. Sur ta moto, nous sommes allés au restaurant manger un poisson entier rehaussé de *padek*, sauce nauséabonde faite à partir de poisson fermenté. Nous avons bu quatre Fanta verts. Il y avait aussi de la soupe au bambou, et tu t'es vanté de pouvoir en préparer. Un chat était paresseusement allongé sur la table d'à côté, et un autre, un gros chat jaune, venait parfois se frotter contre ma jambe. Les filles du propriétaire sont venues te demander tour à tour si j'étais ta fiancée. Tu as répondu que oui, que j'étais ta fiancée. Tu ne savais pas que je comprenais assez le laotien pour décrypter vos conversations.

Après onze petites journées à tes côtés, j'ai dû repartir, fuir. Nous étions en mai et la route du Vietnam m'attendait. Je voulais voir Saigon. Je t'ai dit que je reviendrais à Savan dans quelques semaines. J'ai regretté mon départ au moment même où je suis entrée dans le bus délabré. Je ne suis jamais revenue à Savan, emportée par les courants du voyage et les ruines du Cambodge qui m'appelaient après le Vietnam. J'allais suivre le cours du Mékong, jusqu'à ce qu'il se jette dans la mer de Chine. Durant ces mois qui ont suivi mon départ furtif, je t'ai écrit toutes les semaines. Parfois, je t'envoyais une lettre par jour. J'envoyais ces lettres en France car je croyais que tu y étais retourné.

Quand, en septembre, je suis rentrée à Montréal, je ne vivais que pour le courrier. J'attendais une missive de toi. J'ai appris à connaître le facteur, car je faisais le va-et-vient entre ma chambre et la boîte aux lettres au moins dix fois par jour. Un matin, il m'avait vue sortir en trombe sur le balcon, car j'avais entendu ses pas dans l'escalier. Il m'a demandé de qui j'attendais une lettre. Je lui ai parlé de toi.

Mon obsession du courrier le faisait sourire. Mes cheveux en bataille et mon kimono trop grand aussi. Nous sommes devenus amis. Lorsque j'entendais ses pas, l'espoir montait en moi. Chaque matin, une certitude s'emparait de moi : ça allait être le bon jour. Quand le temps froid est venu, je ne prenais même pas le temps de mettre mes bottes. Je marchais pieds nus dans la neige qui encombrait le porche. Dans la boîte il n'y avait que des comptes Visa, des lettres de la Maison Columbia et des lettres de menaces du bibliothécaire en chef pour m'inciter à payer les frais de retard sur mes livres. Je commençais à comprendre que tu m'avais oubliée, que je n'étais qu'une parmi tant d'autres ou peut-être que tu ne m'avais pas pardonné mon départ empressé. J'échangeais toujours des propos sur le temps avec le facteur. Ta lettre est arrivée un 17 décembre. Ce matin-là, mon facteur a frappé à la porte, une fine couche de neige sur sa casquette bleu marine. Il tenait deux enveloppes. La première était sertie de trois timbres du Laos et l'autre n'avait pas de timbre. La première contenait ta lettre.

Savan, le 23 mai 1999

Chère A.

Quand tu liras ces quelques mots, je serai déjà loin en ma Normandie. Inutile de te dire que depuis ton départ pour Saigon, je n'ai cessé d'espérer ton hypothétique retour. Le restant de mon séjour a été long et difficile, car j'ai très souvent pensé à toi. Je ne t'incombe aucun tort ; loin de moi cette pensée, mais simplement un besoin irrésistible de t'écrire. Je te laisse ces quelques mots en souvenir de moi pour te dire que j'ai passé des jours langoureux avec toi. Tu as été mon bonheur, ma brise de fraîcheur pendant ce séjour endeuillé.

Je suis retourné sur les bords du Mékong, là où nous avons bavardé. J'ai senti ton parfum en me souvenant de tes mots. J'ai revu le profil de ton visage et entendu ton accent si particulier. Je voudrais que tu saches que cette brève histoire restera en moi pour longtemps. Espérant un mot de toi, je te souhaite un agréable séjour dans ma ville natale, Savan, qui signifie paradis en langue laotienne.

Je t'embrasse.
S.

J'ai compris que tu m'avais attendue longtemps, qu'avant de repartir pour la France, tu avais laissé cette lettre à ton grand-père au cas où je reviendrais comme promis à Savan. Mais je n'y suis jamais retournée et ton grand-père avait alors décidé de me la poster. En marchant vers le bureau de poste, il s'était sûrement procuré un paquet de cigarettes sans filtre. Des Gauloises.

J'ai longtemps médité sur la lettre. Elle contenait quelque chose d'inexpliqué. Elle avait visiblement été écrite avant ton retour en France car elle était écrite à l'endos d'une feuille où étaient imprimés des caractères laotiens. Une de ces feuilles de propagande du parti communiste que l'on retrouve partout. Sur les timbres, il était écrit *République Démocratique Populaire Lao*. Sur le premier timbre, celui de cent kips, il y avait un mangoustan, ce fruit à l'écorce pourpre, et à la chair blanche presque translucide. Les deux autres, de cinq kips, montraient l'image d'un ouvrier avec une pelle à la main en train de construire la seule route qui traverse le pays. Dans cette lettre, tu ne répondais pas à celles que j'envoyais à ton adresse en France. Je me suis demandé pourquoi ces moments passés avec toi avaient eu tant d'importance pour moi. Je me suis demandé pourquoi tu ne répondais pas à mes lettres. Une seule réponse m'est venue à l'esprit. Je me souviens que tu m'avais parlé, lorsque nous étions sur la rive du grand fleuve, d'une femme qui t'attendait en France. Une Française. Une femme un peu jalouse.

J'avais joué, comme toutes les femmes le font, au début d'une histoire amoureuse, à celle qui ne connaissait pas la jalousie. Cette Française n'avait pas voulu venir avec toi dans ton pays d'origine. Tu disais ne plus croire en son amour. Avant ton retour en France, alors que j'étais perdue au Vietnam et que je t'écrivais tous les jours, c'est elle qui a dû recevoir mes lettres. Intriguée, remplie de soupçons, inquiète de t'avoir laissé partir si loin, elle a peut-être lu mes lettres. À ton retour, elle a dû t'ouvrir la porte avec un regard enragé, en tenant la pile de lettres éventrées dans les mains, les brandissant comme une accusation. Alors, tu as dû t'expliquer et lui dire que j'importais peu dans ta vie. Que toi et moi, nous ne nous étions connus que quelques jours. Tu n'avais jamais pu lire mes lettres, la Française les avait certainement jetées au feu devant toi. Tu lui avais promis de ne jamais m'écrire. Et je suis tombée dans l'oubli.

Je regardais l'autre enveloppe, la deuxième que le facteur m'avait donnée, celle qui n'avait pas de timbre. Je l'ai ouverte. À l'intérieur, il y avait une lettre soigneusement calligraphiée. Sur le papier blanc était écrit à l'encre bleue d'un stylo à plume :

J'aimerais t'inviter à souper un soir avant Noël, un soir où la neige tombe timidement sur la noirceur de la ville.

Ton petit facteur

Queues de dragon et poisson-chat

Nous nous sommes dit au revoir devant l'hôtel Indochine à Phnom Phen. À l'angle des rues Norodom et Sihanouk. C'était un lundi. Du trottoir opposé, j'ai regardé de nouveau, tu t'es retourné et tu m'as fait signe de la main. Un fleuve de voitures et de personnes coulait entre toi et moi. Nous ne nous sommes plus revus. Maintenant ce souvenir est en moi, je le regarde comme si c'était une séquence d'un mauvais film.

Notre rencontre s'était faite en un instant. Dans un café donnant sur la rivière Tonlé Sap qui traverse Phnom Phen au confluent du Mékong. C'était un café aux murs peints d'un vert doux, aménagé dans une vaste maison vestige de la colonie. À Phnom Phen, on est plongé dans cet Orient charmeur parsemé de souvenirs de la France coloniale. On y retrouve des vieillards qui parlent le français avec des accents marseillais, des vendeurs de baguettes parmi les vendeurs de riz parfumé, et certains commerçants ont encore parfois des affiches en français que l'on aperçoit au tournant des rues. Je me souviens du nom de ce café où je t'ai vu pour la première fois : *Entre deux fleuves*. L'affiche venait d'être repeinte. Le café était situé en face du Club des correspondants étrangers. Toi, tu parlais au téléphone dans le hall d'entrée en fumant une cigarette. Tu parlais en allemand avec des accents du Danube.

Ton tabac sentait le clou de girofle et j'ai deviné que tu venais d'arriver d'un séjour en Indonésie. Tu parlais à une femme à l'autre bout du fil. Tu semblais vouloir la consoler. J'écoutais les mots que tu lui disais en lisant les dépêches des agences de presse qui étaient devant moi sur la table.

Je me trouvais au Cambodge pour couvrir les élections pour un quotidien de Bangkok. On s'attendait à des émeutes dans les rues et peut-être à un coup d'état. Toutes les ambassades avaient prévenu les expatriés occidentaux de ne pas mettre le pied dans le pays en juillet. Nous étions bel et bien en juillet. Mais moi, je cours toujours après le danger. Je dis souvent n'avoir peur de rien, mais j'ai peur de tout. Je m'étais portée volontaire pour le Cambodge. Dans l'avion entre Bangkok et Phnom Phen, nous étions seulement trois passagers. J'avais un peu perdu courage devant mon plat de riz réchauffé recouvert de papier d'aluminium. Derrière moi, il y avait un Français obèse qui portait un costume blanc, un chapeau de toile blanche et des souliers pointus. Il me parlait entre les sièges et me disait que sa femme était cambodgienne et qu'il allait la rejoindre. Il me disait que je n'avais rien à craindre à Phnom Phen. Le troisième passager était un petit Asiatique aux traits chinois. Il portait avec lui une boîte de carton qu'il avait posée sur le siège à côté de lui, lors du décollage, en prenant soin d'attacher la ceinture de sécurité autour de la boîte. Sur le dessus de la boîte était écrit : *Rice Cooker*. Il nous regardait parler, moi et le gros, avec un regard de biais.

Je suis descendue de l'avion, j'ai pris un taxi vers le centre-ville et le chauffeur m'a donné son numéro de téléphone pour que je l'appelle lorsque je voudrais reprendre le chemin de l'aéroport. Même lui ne croyait pas que j'allais rester très longtemps. Après quelques minutes dans ma chambre, j'ai décidé d'aller visiter le palais royal. Les jardins environnants étaient vides. Le roi était allé se réfugier dans sa résidence d'été au nord du pays et il n'y avait pas la horde habituelle de touristes japonais qui se faisaient prendre en photo devant les monuments. Il n'y avait que moi. Derrière le palais, la grande pagode scintillante abritait trois moines qui somnolaient, nonchalants sur les dalles d'argent pur. Ils m'ont laissé visiter les lieux sans ouvrir les yeux. J'ai même touché à une relique du treizième siècle sans qu'ils me voient. Après le palais et les moines endormis, je n'avais pas envie de rentrer à l'hôtel, j'avais envie d'appeler mon chauffeur de taxi pour qu'il me ramène à l'aéroport. Mais je ne l'ai pas fait.

Dans les rues que je sillonnais depuis quelques jours, je n'avais pas vu un Occidental. Sauf toi, dans ce café colonial aux murs peints en vert doux. Tu parlais au téléphone fixé dans le hall d'entrée avec une voix douce à une femme que sûrement tu aimais. Je t'observais de loin. Tu passais ta main dans tes cheveux, tu basculais la tête par derrière pour laisser sortir des rires, tu rougissais. Une fois le téléphone raccroché, tu es venu t'asseoir à ma table comme si nous faisions partie de la même famille. Tu m'as commandé un autre café en faisant un geste bref vers la serveuse. C'est ce qui arrive parfois à l'étranger. Les gens qui reconnaissent un des leurs se rassemblent avec surprise et joie. Comme s'ils avaient retrouvé un coin de leur pays égaré au bout du monde. Parfois on fraternise, à l'étranger, avec des gens qu'on ne fréquenterait pas, même s'ils étaient nos voisins dans notre ville.

Nos premiers mots ont été une suite de reproches qui se faisaient écho. Que fais-tu à Phnom Phen ? Tu n'as pas d'inquiétudes ? Tu vas partir avant le jour des élections ? Toi aussi tu étais en reportage pour exercer ton courage. Nous avons passé la soirée assis à cette table. C'était comme si soudainement nous avions besoin l'un de l'autre et que nous ne pouvions nous séparer. La peur de l'impensable nous accrochait l'un à l'autre. Les cigarettes. Le café. Ton sourire. La peur. Nous avons parlé de tout sauf de politique cambodgienne. Puis est venue l'heure de la soirée où une décision devait être prise. La serveuse exaspérée avait balayé le plancher trois fois et commençait à mettre les chaises sur les tables qui nous entouraient en soupirant à intervalles réguliers. Nous devions sortir dans la rue. C'est toi qui, dans un élan de bravoure, m'as invitée à venir dans ta chambre pour consulter les articles que tu avais écrits sur le prince Sianouk. Dans ta chambre de l'hôtel Indochine. Je me souviens que les rues étaient vides. Nous avons pris un cyclo-pousse. L'air tremblait de l'étrangeté des choses à venir. Je me souviens de tes grands yeux gris lorsque j'étais assise près de toi. Tes pupilles étaient larges et noires. Le cyclo-pousseur tentait de nous faire la conversation, il nous a dit qu'au musée Tuol Seng, il y avait une collection de boîtes remplies de lunettes appartenant aux intellectuels tués par le régime khmer. Des lunettes pillées sur les corps des penseurs du pays d'Angkor. Le musée était une ancienne école secondaire qui avait été convertie en centre de détention et de torture par les forces armées de Pol Pot. Testament des crimes des khmers rouges, cette prison avait « produit » une centaine de morts par jour. Plusieurs étrangers y avaient été tués. Lors de la libération de Phnom Phen, il n'y avait eu que sept prisonniers trouvés vivants dans la prison. On avait trouvé dans le musée des lits rouillés, des instruments de torture et une dizaine d'anciennes salles de classe aux murs tapissés de photos des victimes. Reliques de l'humanité à son pire. Essoufflé de pédaler, le cyclo-pousseur tentait de nous convaincre de nous mener, à l'aube, à ce musée. Il serait notre guide moyennant une très petite somme d'argent. Nous avons refusé plusieurs fois.

Dans ce pays aux souvenirs amers, nous avons passé les cinq jours suivants dans ta chambre de l'hôtel Indochine à écrire de mauvais articles, des résumés de ce que nous trouvions dans les journaux locaux. Nous n'arrivions pas à sortir. Héros déchus liés par une peur artificielle. La nuit, nous entendions les manifestants dans les rues. Le chant des opposants aux élections truquées. Leur colère. Mais dans notre chambre, il y avait la douceur et le rire. Le service de chambre venait nous porter des plateaux de fruits, des assiettes de poisson d'eau douce, des paniers de bambou remplis de riz au safran et nos piles de journaux. Nous remâchions courtoisement les nouvelles d'hier. Pour nous occuper, le reste de la journée, nous parlions des événements de notre vie. Je t'ai dit que je ne voyageais jamais avec espoir. Quand je partais, c'était toujours par désespoir. Quand plus rien n'allait. Quand l'air devenait irrespirable. Je quittais. Je fuyais. À voir le nombre de tampons sur mon passeport, j'étais souvent malheureuse. Ailleurs, j'étais autre. Un changement s'opérait en moi. J'avais une conscience plus claire de ma liberté. Parmi les phrases fabuleuses d'Héraclite, il y en a une qui dit : « aller au près ». Quand je m'exilais, j'explorais mon intérieur. Le rêve et le réel se confondaient. C'est pourquoi je préférais souvent les destinations dangereuses, les aventures kamikazes. Si j'avais pu me jeter au milieu de l'Afghanistan, en pleine guerre sainte, je l'aurais fait. Bien entendu, mes propos semblaient un peu creux puisque que nous étions des otages volontaires enfermés dans cette chambre d'hôtel, par peur. Par manque de courage. Nous avions bu trop de bière. La nuit, quand je n'arrivais pas à dormir, je t'observais dans tes songes turbulents. Je ne le savais pas, mais toi aussi, tu faisais de même. Nous veillions l'un sur l'autre comme des anges gardiens secrets.

La nuit des élections, nous retenions notre souffle, espérant qu'une révolte n'éclate pas dans les rues. Mais nous gardions le silence sur ce sujet. La gastronomie était devenu le centre de nos journées. Nous attendions avec impatience nos plats de poisson-chat au basilic accompagnés d'artichauts de Jérusalem et notre plateau de fruits composé de pommes grenades, mangues vertes, oranges sanguines, papayes et ce fruit rose tendre, unique à l'Asie du Sud-Est, qui s'appelle queue de dragon. Cette nuit-là, en plongeant ta fourchette dans ton filet de poisson-chat, tu m'avais parlé d'une journée où il pleuvait très fort sur Vienne. Tu étais dans un restaurant en compagnie de la femme que tu aimais. Une grande brune à la peau ambrée était entrée précipitamment par la porte qui tintait au bruit des clochettes suspendues à la poignée. Une inconnue. Elle était trempée par la pluie. Instantanément, tu as été ensorcelé. Tu ne pouvais expliquer pourquoi. C'était comme si vous vous étiez connus depuis des siècles. Tu as eu envie d'aller vers elle. Elle t'a souri. Vos yeux se sont presque frôlés. Elle a fait un mouvement vers toi, presque imperceptible, comme si elle avait voulu te parler. Pris de panique, tu as baissé la tête prenant conscience que tu étais avec celle que tu étais censé aimer. Tu as eu peur de cette destinée qui se présentait soudainement à toi. Cette femme ambrée mouillée par la pluie. Quand tu as relevé les yeux, elle avait disparu. Tu as eu envie de courir dans la rue sous la pluie pour la rattraper. Mais tu ne le pouvais pas, à cause du regard inquiet de ta bien-aimée. Tu as regretté d'avoir raté ta chance. Pendant des mois, l'image de cette femme te réveillait la nuit. Dans ces moments entre le rêve et la réalité, tu croyais qu'elle était là, à côté de toi.

Le lendemain des élections, nous étions finalement sortis de la chambre. Les rues étaient calmes, le résultat du plébiscite n'avait heurté les convictions d'aucun groupe rebelle. Nous n'allions pas nous faire massacrer ou empoisonner dans une ancienne école secondaire. Nous étions libres et nous le regrettions un peu. Les émeutes nous auraient gardés enfermés encore au moins quelques jours. J'avais vu que sur le menu, il y avait du saumon pour le mercredi. Nous aurions pu nous délecter une dernière fois. Nous devions retourner chacun dans nos quotidiens comme des super-héros. Nous étions allés au Cambodge lors des élections. Ulysse de retour sur son île et acclamé par la foule. Tu prenais l'avion le matin et moi le soir. C'est en cette matinée de la fin du mois de juillet que nous nous sommes dit au revoir, devant l'Hôtel Indochine, à Phnom Phen. À l'angle des rues Sianouk et Norodrom. Du trottoir opposé je t'ai regardé de nouveau. Tu t'es retourné et m'as fait un signe de la main et j'ai eu la vague impression d'avoir raté mon destin.

Le baiser de Judas

Je me suis réincarnée en plusieurs choses, plusieurs fois. Au début, j'étais un simple érable à sucre, dans une érablière. Je crois que lui, il était l'érablière. Ensuite, j'étais une phrase de neuf mots, un prince arabe, un eunuque noir, une fleur dans le désert, sans odeur, une feuille de papier tibétain avec une lettre d'amour inscrite dessus en pali, un cerf-volant dans le ciel japonais, une feuille de peuplier qui flottait sur l'eau d'un lac, un écho, un précipice, un violoncelliste, une odalisque qui se prélassait doucement, insoucieuse. J'ai avalé du feu dans un cirque russe. J'ai été la couleur bleue, un paysan polonais dans un champ presque vide, une boîte de thé sur l'étagère d'un magasin du quartier chinois. Et lui, il était le vendeur chinois.

Notre histoire s'est tracée en moi comme les feuilles de thé dessinent l'avenir au fond d'une tasse. Je voudrais dire tout de suite comment est son sourire. Mais pour y arriver, je dois d'abord parler d'une contrée lointaine. Je dois aussi parler d'il y a longtemps.

Il porte le nom de Nicolas. Un nom de tzar. Il est de ceux qui peuplent les grandes tragédies shakespeariennes. Son visage n'est pas ténébreux comme celui de Hamlet, mais il a la violence et la beauté du roi Lear. Lorsqu'il fume des cigarettes, il ressemble aux cow-boys égarés des réclames de *Marlboro*. Il est de ceux qui voyagent dans les contrées lointaines et presque inconnues. Il est entré dans ma vie comme un héros de la tradition courtoise, comme un chevalier inexistant. Pour ne pas souffrir, j'ai déposé une épée de chasteté entre nos deux corps et, parfois, sans que je le veuille, elle devient celle de Damoclès car j'ai une certaine inclination pour lui. Je suis une romantique échevelée, et il m'effraye avec son réalisme. Dans son univers, les dieux n'existent pas. Dans son univers, le néant fait rebondir en écho le rire enroué d'Épicure. C'est pour ne jamais être privée de sa beauté que je tente de ne jamais tomber amoureuse de lui. Car l'amour dévaste tout. Parfois, après quelques bouteilles de mauvais vin, nous nous contemplons en silence et nous hésitons. Nos lèvres veulent s'effleurer, mais n'y parviennent pas. Dans ces moments de désincarnation, ce sont les souvenirs de nos vies antérieures qui refusent de se laisser décanter.

Dans nos souvenirs de la Chine impériale, où nous nous sommes rencontrés pour la première fois. Nicolas et moi vivions tous les deux dans la province du *Sichuan*, une ville tellement au nord qu'elle est presque tibétaine. Une ville où le Mékong prend naissance dans la fonte des neiges. À cette époque, il était légionnaire dans l'armée de mon père, l'empereur de jade. Sa vocation de guerrier lui a été révélée lorsqu'il n'avait qu'un an. Selon la coutume ancestrale, son père avait déposé devant lui une série d'objets, sur une table recouverte d'une nappe rouge. D'après les articles que l'enfant semblait préférer, on en avait déduit ses goûts et tout son avenir. Le petit guerrier avait mis sa petite main sur le sabre. Son père avait dû le lui enlever pour ne pas qu'il se coupe le bout des doigts. Puis, les flèches pointues et le bouclier d'argent s'étaient retrouvés dans les mains de l'enfant. S'il avait choisi une abaque, il aurait été commerçant. S'il avait choisi une plume, il aurait été fonctionnaire. En choisissant le sabre ainsi que d'autres objets liés à la bataille, il était devenu militaire.

Quelques années plus tard, mon père, alors en guerre contre de puissants ennemis, avait pris la fuite et avait dû s'installer dans le nord. C'est ainsi que je suis tombée amoureuse de Nicolas, il y plus de mille ans de cela, quand il était légionnaire et moi fille d'empereur chinois. Lorsqu'il me regardait, je baissais la tête pour cacher la rougeur de mes joues et je soufflais vers le haut pour chasser les mèches rebelles collées à mon front. Mais les guerriers, même ceux de la légion d'honneur, ne pouvaient épouser la fille de l'empereur. Nous nous aimions en secret sur les rives du petit fleuve glacé où poussaient des bouquets de violettes sauvages. Nos rencontres se limitaient aux matinées des premiers lundis de la pleine lune. L'éloignement des corps était insoutenable. Un après-midi, alors que l'empereur s'était enfermé dans sa chambre et observait ses nombreuses gravures dépeignant les folies et atrocités que font naître les guerres, le légionnaire s'était infiltré dans ma chambre et avait soulevé le bas de ma robe de satin indien. Mes petits pieds emmaillotés avaient quitté le sol. Sa peau avait l'odeur de plusieurs combats. Nous étions l'un dans l'autre, l'un sur l'autre, cherchant les limites, les frontières de nos corps. Mais un moine jaloux se cachait derrière le paravent en papier de riz décoré d'idéogrammes minutieusement calligraphiés. Je me souviens d'un de ces idéogrammes de Chine, il représente la longévité. Je l'ai revu, il y a un an, sur une boîte de thé vert au quartier chinois et, curieusement, je savais que j'en comprenais la signification. L'empereur avait tout su. Je n'étais plus pure. Le mari qui m'était destiné, un jeune homme qui avait une affreuse tache de naissance sur la joue droite, mais qui venait d'une famille noble, ne pouvait plus me prendre pour épouse. Tous les astrologues du pays déconseillaient l'alliance entre ce seigneur et moi. Mon déshonneur nous a poussés à fuir, le légionnaire et moi, et à nous aimer dans des endroits inconnus. C'était un amoureux doux et patient. Mais l'amour était tout ce que nous consommions, et la famine a détruit nos corps. Nos tombes sont restées sans sépulture. Personne ne savait qui j'étais quand je suis morte. Les paysans ont jeté nos corps dans l'eau froide du Mékong, là où il prend sa source. Depuis, nous apprenons à nous aimer. Chaque vie nous rapproche, chaque siècle nous rend forts de cet amour.

Nous nous sommes rencontrés plusieurs fois depuis l'époque de la Chine impériale, sous des formes très diverses. Dans cette vie, en cette fin du deuxième millénaire, l'intimité des corps, qui n'existe pas entre nous, a été remplacée par le contact de nos deux esprits étroitement liés l'un à l'autre. Nous sommes simplement amis. Peut-être nous sommes-nous perdus de vue entre les siècles, par nos fautes originelles ? Je ne sais pas.

Mon amour pour lui est maintenant fait d'euphémismes. Il faut dire que, dans cette vie, son amour m'est interdit. Il est l'ami de longue date de celui avec qui je partage mes nuits depuis quelques années. Je ne veux pas faire de lui un traître à la grande confrérie de l'amitié. Parfois, je souhaite une interruption de l'éternelle répétition des vies. Alors, j'imagine qu'il colle son corps contre le mien, près du mur, dans le hall chez moi, et qu'il m'embrasse, nos visages confondus dans le carnaval de Bruegel accroché au mur.

Dans les livres que je lis, il se réincarne à chaque phrase. Mais notre amour se tait. Il est contenu dans les nuits d'été, à Montréal, lorsqu'assis, un à côté de l'autre sur le balcon, à l'ombre de l'Oratoire, nous regardons tomber la pluie comme un grand opéra. Dans ces soirées à jouer aux échecs, nous restons les yeux dans les yeux, comme des ennemis jurés. De sa main, il caresse mon visage inondé de pleurs de rage et de désespoir lorsque je me délecte à lui parler en mal de son meilleur ami au monde. Ces femmes qu'il touche dans le noir, je les connais et elles me laissent indifférente car je sais qu'elles rendent sa vie complexe et que, moi, je la simplifie. Lorsque je les regarde, je souris comme le méchant dans un mauvais western. Je souris, car je sais que c'est pour moi qu'il cueille des bouquets de marguerites sur la pelouse de ses voisins, les après-midi d'été, pour les cacher derrière son dos lorsqu'il sonne à ma porte. Sans lui, tout est noir. Sans lui, l'amour n'est que charnel et a l'odeur de l'air stagnant des dimanches matins tristes où il fait trop soleil. Ces journées où tout doit être parfait, mais ne l'est pas, car on s'aime et on se le dit trop souvent.

Je me souviens cependant d'un incident. Nicolas était de retour d'un long voyage en Syrie. Il y avait passé plus d'un an. Nous étions tous réunis chez lui pour l'entendre parler de ses aventures. Pour l'occasion, j'avais fait des baklavas avec des pistaches roses et de l'eau de fleur d'oranger. Depuis plus de deux ans, je me réconfortais par un bonheur simple, un bonheur plat avec K. Un amour de convenances rempli de quotidien parfois insupportable. Mais cette soirée-là, Nicolas était de retour de Syrie.

Assis l'un contre l'autre sur son divan de velours côtelé, un verre de bière hollandaise à la main, Nicolas ne m'avait pas parlé de la Syrie. Il m'avait parlé de ses premières amours. La première fois qu'il avait embrassé une fille, il avait cinq ans. Elle était italienne et s'appelait Francesca. Elle portait une robe rouge. Francesca était la fille des amis de ses parents. Presque tous les vendredis soirs, Francesca venait souper avec ses parents. Nicolas et Francesca passaient ces nuits-là sous le très grand lit des parents. L'un sur l'autre, leurs langues se touchaient. Ils avaient presque fait l'amour.

Nicolas sentait l'ailleurs. Il gardait des secrets océaniques dans les yeux. Il m'avait ramené trois plumes de paon qu'il avait achetées dans un marché à Amman. Elles étaient longues et tachetées de vert. Quand on les regardait à la lumière, on voyait d'autres couleurs, comme dans une tache d'essence. Des reflets métalliques.

Dans les harems turcs existaient un langage du silence appelé *Salam*, un langage d'objets dans lequel une multitude de choses les plus ordinaires, comme une datte, une orange, un ruban, une plume d'oiseau, tenaient lieu de billets entre les amants. Par exemple, le sultan envoyait une pomme à la courtisane qui allait passer la nuit avec lui. J'aimais Nicolas en le regardant. K. se trouvait au deuxième étage et discutait avec des filles qui portaient des chandails courts et des jupes encore plus courtes. La nuit était pluvieuse et humide. La maison était bondée. Nicolas parlait de la passion. Il soutenait que le sentiment que l'on nomme passion n'est que nervosité mal définie, mal évaluée, mal administrée. Lorsqu'on ressentait de la passion, c'est qu'on admirait quelqu'un démesurément. L'admiration démesurée menait à un sentiment d'infériorité. Ce sentiment d'infériorité causait alors la nervosité, qui provoquait la sécrétion d'endorphine qui, à son tour, faisait naître ce sentiment passionné. C'est pourquoi la passion peut surgir en nous pour quelqu'un qu'on ne connaît pas vraiment. C'est pourquoi les jeunes filles deviennent parfois maladivement amoureuses de jeunes acteurs et chanteurs populaires. La passion décline lorsqu'on apprend à connaître la personne et qu'on voit en elle un simple être humain, comme tous les autres.

J'ai fait semblant d'être d'accord, ce que je ne fais avec personne d'autre que lui. Je lui ai donc parlé des quatre vérités du Bouddha, la première étant que la vie est souffrance à cause du désir. Les désirs séditieux entre deux êtres doivent être apaisés pour que leur rencontre se fasse sans obstacles. Je parlais du *samsara*, l'éternel cycle de la vie, la répétition des naissances et des morts à travers le passé, le présent et l'avenir, et des différentes étapes à franchir : l'enfer, l'esprit affamé, l'animal, l'esprit combattant, l'homme et le paradis. Si l'on ne parvient pas à perdre le désir, on ne peut se libérer de cette roue de transmigration. Ceux qui en sont libérés peuvent porter le nom de Bouddha.

Je lui ai avoué que je croyais au *samsara*. Secrètement. À chaque nouvelle vie, on est entouré des mêmes gens sous différentes formes. Il y a des vies pour s'aimer et d'autres pour apprendre à s'aimer. Dans une vie, la personne qui nous est destinée en fin de compte peut être notre frère, notre mari, notre curé de paroisse, n'importe qui. Un jour, quand tous les problèmes seront réglés, on la rencontrera de nouveau pour vivre l'amour parfait. La douleur vient du fait qu'on est toujours pressé d'aimer parfaitement et on ne laisse pas le destin faire son travail tranquillement. Le cercle des vies se charge de notre éducation qui est lente. Parfois on ne veut rien apprendre. C'est dans notre nature de vouloir tout bousculer, de chercher instantanément, dès la première fois que l'on s'aime, à se convaincre que c'est la bonne, que celle-là sera pour la vie. Notre douleur vient de cette difficulté à comprendre que la vie est mouvement.

Nous allions bientôt sauter des étapes. Aller beaucoup trop vite. Car notre temps n'était pas encore venu.

Après sa cinquième hollandaise, alors que K. parlait encore avec les filles en jupes courtes, Nicolas avait mis sa main sous mon menton et avait attiré ma bouche contre la sienne. Il m'avait embrassée en léchant le contour de mes lèvres dans un mouvement circulaire et lent. Infiniment lent. Un grand cercle tracé sur mes lèvres. Et c'était tout.

Dans ce cercle mouillé, il avait trahi son meilleur ami, qui parlait à des filles en chandails courts au deuxième étage. Il avait regretté son geste. Il n'allait jamais récidiver. Traître. Le baiser de Judas aux saveurs de baklava rose. Je m'en souviendrai pour les siècles à venir.

Après, il n'y a plus rien eu. Un grand cercle de salive. Puis rien. Nicolas était devenu pharisien. Tout ce qui existerait par la suite se limiterait à de simples baisers esquimaux exécutés avec parcimonie. De simples baisers sur les joues à mon anniversaire, mais plus jamais de salive en forme de cercle.

Cuando el amor como una

inmensa ola

Tout est vert dans cette fable que je vais tenter de vous raconter. Tout est vert. Vert espoir. Le tissu de la robe de la jeune fille blonde est du vert timide de la grande taïga, l'air opaque et humide a la couleur de la chair pulpeuse des limes que l'on retrouve sur les *Key lime pies* ; la végétation luxuriante rappelle l'éclat des feuilles de menthe que les Berbères, au pied du grand Atlas, plongent dans le thé. Il y a très longtemps de cela, un vieillard assis près des marches de la citadelle à Hué, la ville impériale vietnamienne, avait murmuré à son fils que les yeux de la jeune fille à la robe vert timide ont la couleur de la mer de Célèbes. Moi, je crois plutôt que ses yeux sont d'un vert tendre comme celui que l'on retrouve dans le ventre d'un melon miel.

Pour vous raconter son histoire, je vous amène dans une grande maison qui ressemble aux palais blancs du Mexique, dévorée par la végétation, envahie par le feuillage. Une maison centenaire avec une grille à l'entrée où l'on peut lire un vers de Neruda : *Cuando el amor como una inmensa ola.* Quand l'amour est comme une immense vague.

C'est une grande maison, avec une forêt de grandes colonnes blanches comme celles du temple divin de Khonsou. Nous sommes dans le quartier de la Boca, à

81

Buenos Aires. Je pousse la grille et, devant vous, il y a la splendeur verdoyante. Au milieu de toute cette verdure, il y a du rose, le rose des lèvres d'Esperanza, la jeune blonde. Elle est grande et mince, sa robe verte et simple découvre ses longues jambes dorées. Sur sa cuisse, on voit reluire dans le soleil de petits poils blonds et délicats. Un homme, lui aussi très grand, l'enlace. Ils dansent. La musique est celle d'Omara Portuondo, ancienne diva de La Havane. Lui, est Argentin et ses mains ont la force et la beauté que seuls les peintres et les écrivains possèdent. On voit une de ses mains autour de la taille d'Esperanza. On voit aussi qu'il est amoureux d'elle. Il la regarde dans les yeux tel un torero dans une grande arène de la Sierra Morena. Il la regarde et la respire, les yeux fermés. Elle sent le tabac américain, le magnolia. Sa peau a pris l'odeur du cachemire et des métaux précieux. On sent qu'il la désire. Ils virevoltent au son de la musique entre les colonnes verticales et dénudées. Esperanza est comme une figure qui contraste dans toute cette sobriété. Quand on la voit ressurgir d'entre les lignes rigides, on dirait le sommet d'une pagode orientale avec sa toiture en étages superposés qui se retroussent vers le ciel.

Entre ciel et mer, Esperanza est née dans un port. L'homme est amoureux de cette jeune femme qui, toute sa vie, par la faute de son père, a vécu, dans des ambassades. À Hué, sur les bords de la rivière des Parfums, elle a vécu la beauté des façades colorées lavées à la chaux et l'amour d'un jeune Vietnamien. À Lahore, au Pakistan, elle a connu le frisson provoqué par les chants musulmans qui résonnaient tôt le matin dans les rues désertes et la beauté fracassante d'un acteur de Bollywood. À Prague, elle a succombé à la musique qui débordait des fenêtres ornées de fleurs et à l'amour sur les ponts de la Vltava. Désinvolte, Esperanza se plaisait à collectionner les amants. Elle comprenait qu'elle était vouée à errer jusqu'à la mort, d'amour en amour.

Son errance amoureuse ressemblait à un ballet, selon la vélocité du sujet, mais aussi à un grand opéra. Elle disait « je t'aime » d'escale en escale. Maintenant, c'est l'Argentine et son tango, et les mains de ce peintre. Ce que vous ne savez pas et que seuls connaissent les hommes dont elle a déchiré l'existence, c'est qu'Esperanza porte le regard des hommes comme un fardeau. Partout où elle va, sa beauté et sa splendeur fascinent les passants. C'est pourquoi elle a très peu d'estime pour eux et le mot *machismo* reste souvent suspendu à ses lèvres. Ses yeux dégagent alors tout le fiel contenu dans le regard des reines de beauté. Comme si de l'absinthe ruisselait de ses paupières.

Un jour, dans le temple de Sayamounkoun, au Laos, tout près de Savannakhet, elle déclarait à un moine qu'elle n'avait jamais aimé, même lorsqu'elle croyait aimer. Elle était assise sur ses talons, sur les grandes dalles de marbre, et enlevait la saleté qui s'était logée sous ses ongles. Ses airs désinvoltes lui donnaient un charme incroyable. Le soleil s'infiltrait par les fenêtres et, entre elle et le moine, de grands faisceaux de lumière tranchaient l'air. Il lui avait dit qu'il voyait en elle les arbres qui cachent la forêt. La beauté du corps qui cache l'autre beauté. Esperanza et Hom passaient des après-midi à discuter et à rire dans ce temple qui donnait sur le Mékong et son grand delta. Hom n'avait jamais osé la regarder dans les yeux, comme le dictent les lois de la vie monastique. Ce qu'Esperanza ne sait pas, c'est que trois mois après son départ pour l'Argentine, Hom s'est défenestré, se jetant du grand vitrail – représentant le Bouddha émacié devant un bol de lait – qui ornait la façade de la pagode.

Croyant aimer, elle n'avait jamais aimé et les moines se défenestraient pour elle. C'est donc bien triste pour cet Argentin, car Esperanza est convaincue qu'il est amoureux d'elle uniquement pour le charme de son regard. C'est pourquoi elle danse avec lui d'un air si désintéressé. Elle ne sait pas qu'il l'aime follement pour d'autres raisons. Il l'aime car, la première fois qu'elle l'a fait entrer chez elle, elle lui a confié que les plafonds étaient peints de fresques baroques par Diego Rivera, que les toiles sur les murs étaient horribles car de style impressionniste, et que les livres dans l'immense bibliothèque étaient la seule chose qui lui permettait de survivre.

Elle avait parlé des grands voyages de Bougainville et de la préface au *Tristan und Isolde* de Wagner qui révélait tant de vérités frémissantes. Ils se connaissaient depuis maintenant cinq ans. Jardinier à l'époque où ils s'étaient rencontrés, il entretenait des jardins pour pouvoir payer ses huiles, si indispensables et coûteuses. Il entretenait des jardins, dont celui du père d'Esperanza. Alors qu'il coupait, à l'aide d'immenses sécateurs, les branches du grand citronnier dans la grande cour, il l'avait aperçue par la fenêtre. C'était le milieu du jour. Elle enlaçait de larges rubans de satin rose sur ses jambes, puis enfilait ses pointes, ses chaussons de ballerine, qu'elle n'avait pas touchés depuis Prague à sa dernière soirée à l'Opéra. Esperanza était ballerine. Tandis que ce jardiner-peintre argentin l'observait à son insu, elle avait dansé sur la musique de son seul véritable amour : Liszt. Il avait failli tomber de l'échelle sur laquelle il était perché tant il l'avait trouvée belle. Il entendait la lourdeur de ses chaussons s'abattre sur le plancher de bois à chaque saut qu'elle faisait. Il entendait le frottement de sa jupe en tulle, observait son dos qui s'arquait, ses cheveux qui s'emmêlaient langoureusement. Elle ressemblait à une grande odalisque. Elle était digne d'un titre de noblesse dans le grand sérail. Elle aurait pu être maîtresse des sorbets ou protectrice du trésor. Quand Liszt s'était tu, elle avait allumé une cigarette. La fumée formait un voile autour d'elle et c'est là que ce peintre argentin, du nom de Jesus Conception, a eu une idée de toile. Depuis ce temps, c'est uniquement l'image d'Esperanza qui hante son iconographie. Il l'a déconstruite et reconstruite des centaines de fois. Son atelier est rempli de toiles où l'on peut toujours reconnaître, sous des styles surréalistes, cubistes, fauvistes – mais jamais impressionnistes – une jeune femme dont les cheveux dévoilent six teintes de blond qui varient du reflet de l'or des grands bouddhas de la Birmanie à une

couleur qui rappelle l'ocre de la peau des chameaux ira-
niens. Chaque toile est une prière. Un chant mélancolique.

Jesus ne le sait pas, mais dans trois jours, Ezperanza
disparaîtra. Un autre de ces départs fortuits et silencieux.
Il danse avec elle mais ne sait pas qu'elle le déchirera. Ce
sera une de ces journées pluvieuses qui rappelle le jour
où Neruda s'est éteint. Elle partira pour Prague où elle
rejoindra un homme qu'elle a croisé à Cracovie. Elle
danse avec l'Argentin, le serre dans ses bras, respire
l'odeur du manguier, l'odeur humide de la chaleur tropicale. Jesus ne sait pas que les jours qui vont suivre mar-
queront le début du cycle de sa période verte et de la
célébrité.

Petites histoires de haute voltige

Dans ma mémoire, il y a l'étang aux lotus bleus. C'était l'été, au Laos, où j'étais depuis plus de trois mois avec K., mon premier et dernier mari, et Nicolas, celui que j'aimais toujours, malgré tout. Ce soir-là, nous sommes allés au cirque. Russes et Chinois, durant la période de gloire communiste, avaient construit, en retrait de la ville, un grand chapiteau en or caché sous les feuilles de palmiers. Un cirque populaire pour amuser les paysans après leur longue journée de labeur.

À notre arrivée au comptoir des billets, tout semblait fermé. Une écriture incertaine ornait un petit tableau noir légèrement déplacé, sur lequel on lisait l'inscription suivante : *Laotiens 5kips. Étrangers 10kips.* Ce soir-là, il n'y avait pas de représentation. Un homme très grand et très mince a surgi de la porte adjacente au comptoir pour nous expliquer qu'on tenait un grand banquet pour célébrer le dixième anniversaire du cirque. Cet homme nous dira plus tard qu'il était jongleur. Il nous a invités dans l'arène où une centaine de personnes endimanchées dansaient, mangeaient et riaient en tapant leurs mains sur leurs cuisses. Au centre de la piste se trouvaient deux grandes tables rectangulaires débordantes de victuailles. Une femme très belle, dans une longue robe bleue, tranchait des morceaux de canard enduit d'une sauce opaque et rouge. Du canard pékinois. Selon la légende, l'Empereur de Chine et ses ministres mangeaient uniquement la peau du canard, les hommes de la cour, uniquement la viande, et qu'on faisait bouillir les os pour les classes inférieures. À côté des canards, dans de grands plateaux en argent, s'étalaient des pattes de poulet grillées semblables à des petites mains crochues munies de longues griffes protubérantes. Les pattes de poulet grillées relèvent de la haute gastronomie à travers l'Asie. J'en avais vu dans les *snak bars* des cinémas de Taiwan, empilées à côté de tablettes de chocolat, qui semblaient ne pas se vendre aussi rapidement. Sur les tables, il y avait aussi des salades de papaye verte et des calmars roses.

Dans les gradins qui entouraient la piste, de petites filles en robes de dentelle blanche couraient après des garçons encore plus petits qui s'enfuyaient avec des regards inquiets. Les enfants criaient, la musique retentissait et l'on entendait le chaos de petits sons en saccades des conversations en mandarin. Dans la salle, les ambassadeurs de France et de Russie conversaient. Les clowns étaient en complet trois pièces et les trapézistes aussi. Après plusieurs verres de whisky froid, un trapéziste en complet rouge m'a raconté une histoire.

C'était à l'époque de la guerre du Vietnam, lorsque les *GI* américains, pour respecter leurs quotas de largage sans risquer leur vie, lâchaient leur bombes sur le Laos plutôt que de survoler le Nord-Vietnam. Au cirque français de Vientiane, un trapéziste russe était marié avec une contorsionniste laotienne. Elle était tombée amoureuse du dompteur de lions par accident et l'avait pris comme amant. Le trapéziste russe, au cours d'une représentation devant la délégation américaine, avait fait les trois vrilles les plus périlleuses de sa carrière. Sa femme entrait ensuite dans le jeu icarien pour sa première expérience en haute voltige. Le dompteur de lions, les trois funambules français, l'homme-canon, l'avaleur de sabres et le cracheur de feu retenaient tous leur souffle au moment où elle devait se lancer dans l'air et quitter son trapèze volant, son mari devant la saisir au vol. Mais, l'instant venu, il échoua. Elle s'écrasa au sol, son costume en sequins argentés couvert de sang. Elle était morte sur le coup.

Après l'histoire des trapézistes, l'ambassadeur de France, qui ne marchait plus droit, est venu me demander une danse. J'étais l'une des seules femmes occidentales dans la salle. J'ai accepté en rougissant. J'ai aussi dansé avec Nicolas. Les yeux dans les yeux. Serrés. K. qui était de ces gens qui ne dansent jamais, nous a regardés, depuis les gradins, discutant en laotien avec la femme qui portait la longue robe bleue. Tout le monde avait trop bu, beaucoup trop. K. était le centre d'attention d'un petit groupe d'hommes. Ils lui demandaient comment était la vie en Amérique et lui affirmaient qu'il avait beaucoup de chance d'y habiter. Nicolas et moi avons marché jusqu'à la maison et nous nous sommes assis devant l'étang de lotus bleus qui y faisait face. Il m'a parlé de la Hongrie qu'il venait de quitter avant de venir nous rejoindre au Laos. De son amour pour la langue hongroise. Il m'a dit qu'en hongrois on ne dit pas « argent de poche » mais, « argent de poète », que lorsqu'un homme rencontre une femme plus âgée que lui, pour la saluer, il ne lui dit pas bonjour, mais : « Je vous baise la main ». J'ai dépassé les bornes ce soir-là. J'ai dit à Nicolas : « Emporte-moi. Emporte-moi loin et je te ferai vivre. Emporte-moi et je nourrirai un harem pour toi ». J'ai dit que je cultiverais une rizière pour nourrir ses femmes. Il me regardait avec un mélange d'ivresse et d'étonnement. « Vivons ensemble, aimons-nous. Nous irons visiter Angkor et nous nous embrasserons pour la première fois dans les ruines millénaires. Je construirai une cité interdite juste pour nous ». Je crois même lui avoir suggéré de fuir vers le Tibet et de se nourrir de lichen pour assurer notre survie. Nicolas a mis sa main sur ma bouche pour me faire taire. C'était la seule fois où, au milieu de mon exaspération, je m'étais laissée aller en paroles ivres. Nous nous sommes par la suite efforcés d'oublier l'incident des lotus bleus.

Ce soir-là, je suis montée dormir avec K. Dans l'ombre du sommeil, mon talon a frôlé sa jambe imberbe. Après l'incident, il n'y avait que le silence entre Nicolas et moi. Les mots ont été remplacés par des gestes hésitants, des frôlements capricieux.

Sourate des agenouillés

Quand je l'ai rencontré, Mohamed habitait à Paris dans un studio minuscule rue Sophia, dans Barbès, le quartier arabe. Le quartier où il ne faut pas s'aventurer la nuit. Coincés dans le couloir de l'entrée, un lavabo et une table qu'on repliait contre le mur faisaient office de cuisine. Mohamed était habitué aux espaces restreints. Il s'était exilé de Marrakech, cette ville nord-africaine où l'on peint les maisons de la couleur de la cardamome en fleurs. Marrakech la Rouge, disent les Arabes de la Méditerranée avec leur voix grave et sévère.

Mohamed conservait, dans une petite boîte argentée qu'il avait placée tout en haut de sa bibliothèque, une poignée de terre du quartier où il était né. Parfois, il ouvrait la boîte et humait le sol rouge de sa ville natale. Il conservait cette boîte pour ne jamais oublier les combats qu'il avait menés. Un jour, il avait dû fuir son pays sans se retourner. Il était devenu professeur de littérature arabe dans une de ces universités qui font de Paris une grande ville.

J'ai un peu honte d'avouer que j'ai tout fait pour le séduire. Je voyais en lui un homme d'action. Un homme sans la peur élémentaire de l'impossible. Le contraire de ces hommes faibles dont les seuls exploits sont ceux de l'esprit. Il avait touché des armes brûlantes, fui la police, écrit des manifestes et avait maintenant le droit de parler de la révolution. Le droit de raconter son histoire. Il avait risqué sa vie pour une révolution qui avait échoué. Je sentais sa grandeur dans le calme qui émanait de lui et qui semblait affirmer : « Je n'ai pas raté ma vie ». Il s'est imprimé dans ma mémoire car il ne m'a jamais dit que j'étais belle. Il savait pourtant le montrer. Au regard. Au toucher.

Un jour, nous étions dans un petit restaurant tunisien rue de Ménilmontant, dans le vingtième. Sur le mur se trouvait l'image d'une verte vallée au-dessous de laquelle on pouvait lire : Douce Kabylie. Un Arabe assez âgé mangeait une assiette débordante de brochettes d'agneau accompagnées d'une salade à la menthe. Il semblait se délecter, se léchant les doigts goulûment et respirant fort. Il devait sûrement être seul à Paris, nostalgique des femmes et des plats de chez lui. Mohamed était devant moi. Sur la table, un verre d'eau. Il avait porté le verre à ses lèvres et en avait avalé le contenu d'un coup. Puis, braquant sur moi la sombre lumière avide de ses yeux, il m'avait dit que je lui donnais soif. Après cet épisode, chaque fois qu'il buvait un verre d'eau d'un trait et me regardait, j'avais l'impression qu'il allait me dévorer et je savais qu'il m'aimait. D'autres gestes me faisaient aussi frémir. Il prenait parfois ma tête dans ses mains et approchait mon visage du sien. Il me contemplait, comme en prière.

Nous avions souvent de longues conversations la nuit dans son petit studio. Nous échangions sur ce que nous connaissions bien et moins bien. Il en savait toujours plus que moi. Nos conversations nous menaient au lever du jour quand, ivres de mots et de fatigue, nous allions prendre le café. Je me souviens de ce silence qui s'infiltrait dans la conversation avec la lumière matinale. La lumière de ce jour qui nous surprenait, essoufflés et échevelés. Pendant ces nuits, je l'avais écouté parler de son dégoût pour Tahar Ben Jelloun, le fou du roi, comme il disait. Cet auteur qui jouissait d'une voix internationale et dénonçait confortablement les inégalités et injustices au Maroc tout en acceptant, comme ami du roi, les invitations au palais, où il assistait à de somptueux banquets.

Ben Jelloun avait maintenant les manies et l'impatience des Français. Nous le connaissions, car il faisait partie du cercle des expatriés. Je me souviens de la première fois où je l'ai rencontré. C'était à Montmartre. Je me souviens de l'inconfort de cette soirée, alors que j'étais entourée de gens qui avaient vécu beaucoup plus longtemps que moi. J'avais l'impression qu'ils l'emportaient ainsi sur moi. Les femmes portaient des tailleurs et discutaient de politique marocaine ; les hommes portaient des habits sans cravates et regardaient les femmes en tailleur.

Je m'étais constitué toute une garde-robe de vêtements sérieux depuis que j'avais rencontré Mohamed. Un manteau long, des bas de nylon, des souliers avec talons, un sac en cuir un peu trop cher, acheté rue de Rivoli. Peu importe, ce soir-là, dans ma robe bleue, j'avais l'air jeune.

Nous étions tous réunis dans l'appartement d'une poétesse d'Essaouira qui venait d'achever un deuxième recueil. Heureuse d'être le centre de l'attention, elle butinait d'un groupe à l'autre, son verre à la main, tandis qu'elle racontait ses histoires haut et fort à qui voulait bien l'écouter. Essaouira était une ville fortifiée construite par l'architecte d'un sultan où avaient été établis de nombreux comptoirs carthaginois. La réputation de l'endroit s'était construite sur la pourpre, la teinte des rois. Extraite de la glande d'un coquillage, la couleur servait à teindre les étoffes dont les Romains couvraient seulement leurs empereurs. On raconte qu'un marchand d'Essaouira se retrouva un jour avec la gorge tranchée pour avoir porté la couleur sacrée alors qu'il était en mission commerciale dans l'empire. Aujourd'hui, on trouve encore à Essaouira quelques façades pourpres ainsi que des filets de pêche miroitants enduits de la pourpre impériale. La poétesse avait intitulé son dernier recueil *Jardin pourpre*.

J'étais plantée au milieu du salon, un kir bien sucré à la main, quand Abdel Karim m'avait sauvée du ridicule en m'adressant la parole. Abdel Karim signifie serviteur de Dieu, Karim étant l'un des vingt-six noms utilisés pour désigner Allah.

Karim avait lui aussi été emprisonné pour ses idées, comme presque tous les autres Marocains que j'ai rencontrés à Paris. Il s'était recyclé en commerçant. Spécialisé dans l'importation des clémentines sur lesquelles on retrouve les petites étiquettes noires en losange avec le mot Maroc inscrit dessus. Karim me traitait toujours comme une perle précieuse et exigeait que les conversations en ma présence se déroulent en français plutôt qu'en arabe. Il me gênait énormément lorsqu'il arrêtait les conversations pour les faire continuer dans la langue que je comprenais. Je préférais écouter les gens parler en arabe et me tenir à l'écart. Mohamed était à l'autre bout de la pièce et discutait d'un ton élevé avec Tahar Ben Jelloun, qui devenait presque pourpre. Une honte immense s'était emparée de moi quand ils étaient venus vers moi et que, en me présentant à Ben Jelloun, Mohamed avait dit que j'étais écrivain. Ben Jelloun avait souri et, tenant son verre de porto des deux mains, avait demandé : « Qu'avez vous écrit ? » Pour contrarier Mohamed, je lui avais répondu que j'écrivais des romans Harlequin. Je n'étais pas écrivain, mais Mohamed aimait bien me présenter ainsi. Toute autre explication aurait manqué de sérieux. J'étais visiblement jeune ; il fallait ponctuer les présentations des faits saillants de mon curriculum vitæ pour me trouver une contenance. Mohamed voulait démontrer à son entourage qu'il ne me fréquentait pas pour les raisons les plus apparentes.

« Elle a aussi fait du journalisme en Asie du Sud-Est », disait-il en me regardant.

J'ai pardonné à l'homme du peuple ses petites insécurités. Il faisait tout pour ne pas perdre sa substance devant les copains.

Je préférais être seule avec lui et l'écouter parler de la *Sourate des agenouillés*, une partie du Coran qu'il admirait pour sa poésie et non pour les idées déformées qui en ont été tirées. Il m'en lisait parfois des passages en arabe. Il parlait aussi de ses nuits dans le Sahara, qu'il appelait le palais des vents. Mais plus encore, j'avais frissonné quand il m'avait raconté, en chuchotant, son ardeur révolutionnaire au Maroc, à l'époque de la guerre des Six-jours. La clandestinité dans les souks d'Agadir, les complots, la dissidence et le contre-discours. Mohamed faisait partie d'un groupe appelé *Le mouvement du vingt-trois mars*, qui avait été réprimé dans le sang par le petit roi. C'était à l'époque de l'indépendance du Sahara occidental.

Mohamed avait passé dix ans dans la prison de Kénitra à quelques kilomètres de Casablanca. Dix ans. Il avait été prisonnier politique, enfermé pour avoir dénoncé trop habilement les horreurs du régime. Maintenant, il marchait dans les rues de Paris, et personne ne se doutait qu'un terroriste sommeillait en lui.

Il avait passé sa première année en prison les yeux bandés, couché par terre, coincé entre les autres membres de sa cellule, sans un mot, un éternuement ou un soupir. Pendant les séances élaborées de torture, les prisonniers devaient lever le petit doigt s'ils avaient quelque chose à dire, si la douleur devenait trop grande. Dire, c'était dénoncer un ami. Rien d'autre. Mohamed avait gardé le silence. Ce n'est pas lui qui me l'a dit, mais plutôt ses copains sauvés par ce silence. À la suite d'une grève de la faim qui avait duré quarante et un jours, le monde extérieur s'était intéressé au sort des prisonniers politiques marocains. La torture avait cessé, mais l'incarcération continuait.

Pendant ces neuf années, Mohamed avait lu des livres : ceux que les membres de sa famille lui apportaient, ceux qu'il leur demandait. Il commença par apprendre des langues grâce à un faisceau de lumière qui traversait la meurtrière de son nouveau cachot. Les premières qu'il apprit étaient des langues mortes ; il avait choisi des langues qui ne se parlent plus, car il n'avait personne avec qui les parler. Il entreprit d'abord l'apprentissage du latin et du grec, deux langues qu'il avait déjà survolées au lycée. Ensuite vinrent l'espagnol médiéval, l'italien médiéval, l'ancien provençal, le galico-portugais et les vernaculaires arabes. Reclus dans les ateliers du silence, il les avait apprises pour lire d'anciens textes dans leur langue originale. Pour converser avec les mots imprimés sur du papier un peu jauni et poussiéreux. Mohamed voulait tout savoir et tout comprendre. Il avait eu neuf ans pour le faire. Il m'avait dit qu'il ne regrettait pas ces années de réclusion, qu'elles avaient été une chance pour lui, que son incarcération lui avait permis de vivre avec les livres. Il m'en relisait des passages chaque jour.

Le jour de sa libération il s'est trouvé fasciné par la lumière. Ses yeux étaient rebondis de cataractes et il ne discernait plus les formes. Mais il se souvient que ce soir là, dans le jardin de sa sœur, il y avait des dizaines de petites lanternes accrochées aux arbres.

J'arrivais à oublier les imperfections qui accompagnent l'âge. Il ne pouvait faire les longues promenades jusqu'à la Place d'Italie, car sa jambe lui donnait du mal, une des séquelles de la torture. C'était ce qu'il avait dans la tête qui me séduisait. J'aimais aussi le gris qui feutrait ses tempes, le blanc qui se frottait à l'épaisseur des cheveux arabes. J'étais fascinée par l'accent du nord de l'Afrique. L'odeur du pays qu'il avait fui languissait toujours sur sa peau. Il sentait encore le sable et le vent, et je voyais dans ses yeux la tristesse de Lorca, des poussières d'idéaux perdus.

Quand nous marchions main dans la main dans la rue, je ressentais le contraste de nos deux corps comme une image surréaliste. *Rencontre d'un parapluie et d'une machine à coudre sur une table de dissection.* Parfois, il me prenait par la main et je comprenais qu'il aurait préféré que je sois plus mûre.

Il portait des costumes, des cravates, et ses chemises étaient cartonnées à souhait. Il marchait malgré tout avec assurance. Je portais des robes et parfois des jupes courtes ainsi qu'une paire de chaussures d'écolière. C'est lui qui avait d'abord employé ce qualificatif pour les désigner. Il n'était pas au courant de mes efforts de magasinage rue de Rivoli. Après sa remarque, j'avais balancé aux ordures les chaussures d'écolière. Moi, je marchais avec un peu de gêne et, si je voyais un homme de mon âge qui me plaisait alors que Mohamed me tenait la main, je fixais le pavé devant moi. Nous provoquions des chuchotements impromptus : « Regarde, elle est si jeune et lui, si vieux. Quel dommage ! » Mohamed était plus âgé que moi d'une vingtaine d'années. Nous ne célébrions jamais nos anniversaires de naissance. J'oubliais toujours le sien, et lui me donnait une carte de souhaits trois mois avant le mien, empressé de me voir gagner une année de plus. Mais je n'y pouvais rien.

Enfiévrée par ses paroles, je devais quelquefois quitter la maison pour marcher le plus loin possible et enfin me retrouver. J'allais souvent jusqu'au Louvre. Je traversais le Pont- des-Arts, entrais dans la cour Carrée et demeurais assise là quelques heures entre les quatre murs, observant le ciel. Je ne songeais pas à entrer dans le musée pour me distraire, mais pour y trouver quelque chose à raconter à Mohamed, pour lui parler de ce que j'y avais découvert. Presque tous mes mouvements et sorties n'étaient qu'efforts pour alimenter la conversation du soir. « J'étais sur les Champs-Élysées, et il y avait une exposition de sculptures contemporaines superbes, presque du pop-art » Mohamed trouvait toujours une façon d'en savoir plus que moi. « Oui. Tu as vu la sculpture argentée, c'est l'œuvre de Toufik, le jeune homme que nous avons rencontré mercredi dernier chez Isabelle ».

Mohamed m'habitait toute entière. Je suis née avec la chute de Saigon. Il est né quand Hemingway terminait *Le vieil homme et la mer* et que Becket se mettait à attendre Godot. C'est cette différence qui rendait notre amour précieux et vertigineux à la fois, qui le renforçait, car nous savions que nous avions peu de temps. Mohamed savait que je n'étais pas une valeur sûre. Il avait lu dans les livres que je retrouverais un jour mes esprits et que je choisirais quelqu'un qui, comme moi, aurait la vie devant lui.

Son amour le rendait parfois triste. Quand je me retrouvais nue à ses côtés, il me tenait captive de cet amour. Il me regardait, me dévisageait, m'avalait toute entière, me tenait en otage avec ses yeux. Il embrassait mon ventre comme si mon corps était tombé des cieux. Parfois, il me parlait en arabe et il prononçait alors les plus beaux mots du monde. Chaque nuit était sacrée. Quand nous faisions l'amour, j'entendais une femme chanter en arabe, comme un grand cri dans le désert qui résonnait contre la nuit. C'était la voix d'Oum Koulthoum, la grande diva égyptienne, qu'il me faisait écouter dans la tristesse des nuits d'été.

Mohamed n'avait aimé qu'une seule femme dans sa vie. La journée de son arrestation, il avait vingt-trois ans et peu d'expérience. Il se consacrait alors à sa cause et à son nouveau travail de professeur de français au lycée de Marrakech. Mais il y avait aussi Leila.

Elle avait de grands yeux noirs suie et de longs cheveux encore plus sombres. Elle militait aussi pour la révolution désertique. Puis, un jour, les arrestations avaient eu lieu. Mohamed avait dû se planquer, entrer dans la clandestinité. Tout s'était fait vite et en silence. Il avait disparu de la circulation. Personne ne savait où il était, pas même Leila. Par souci de sécurité, le secret était de rigueur.

Il était enfermé dans un appartement, hébergé par un membre d'une autre cellule, un pharmacien. Caché dans une chambre où les fenêtres étaient condamnées depuis longtemps. L'attente était longue. Le cœur lui battait chaque fois qu'il entendait le plancher craquer. Un jour, au mois d'août, alors que la Méditerranée montrait les teintes de l'olive qui n'est pas encore mûre, il lisait sous le ventilateur quand il entendit frapper à la porte. Personne, sauf le pharmacien, ne savait qu'il était dans cet appartement. Il s'avança, doucement, pieds nus, vers l'œil de la porte. Il transpirait dans l'air humide de la chaleur automnale. Par le trou, il avait vu le visage allongé de Leila. Il n'avait pu s'empêcher d'ouvrir la porte, même s'il savait qu'il ne devait pas. Leila venait de la cellule sœur porter un colis au pharmacien. Elle ne savait pas qu'elle allait retrouver celui qu'elle aimait.

Leurs corps se fondirent l'un dans l'autre. Mais les visites de Leila devinrent trop fréquentes. Les policiers, qui sont parfois plus rusés qu'on ne le voudrait, avaient ainsi retrouvé la trace de Mohamed. L'amour tourmenté, l'ambition de détrôner le roi, les aspirations humanistes devaient les mener tous deux à la prison pendant de longues années.

Quand Mohamed était sorti de prison, on lui avait dit que Leila avait succombé sous la torture. Elle était morte avec l'impatience de mourir.

Mais Leila n'était pas morte.

Je fréquentais Mohamed à Paris depuis plus de deux ans quand, un jour, elle frappa à notre porte. Leila ressurgissait des nuées. On ne peut rien faire contre le destin. Rien. Ma jeunesse n'avait pas su balayer les souvenirs du passé. Leila était de retour. La grande Leila aux yeux noirs suie qu'il avait tant aimée. J'ai croisé Mohamed quelques années plus tard aux jardins du Luxembourg alors que je visitais Paris, et nous avons fait semblant de ne pas nous voir.

Aux portes de Kyoto

À Kyoto, au centre du Japon, on trouve les plus belles portes du monde. Des portes massives, à l'entrée de la ville, ornées de dragons rouges et de symboles kanji sculptés dans le bois que les luthiers des environs utilisent pour construire leurs violons à trois cordes. Les touristes se rendent à Kyoto pour la beauté des portes, pour le festival des cerisiers en fleurs qui dure deux semaines en avril, pour les cérémonies du thé et pour les geishas. Tous les Japonais savent qu'il existe à Kyoto un endroit où l'on trouve des anges. Des anges un peu perdus. Dans une maison close. Un endroit où l'amour est sporadique et spontané. Presque imaginaire.

Le printemps dernier, j'ai visité Kyoto pendant quelques jours. Mon guide était un chauffeur de taxi bengali du nom de Asada. Il avait un beau visage, une mâchoire carrée et des yeux presque verts comme une pistache sans son écale. Nous étions deux étrangers dans cette société presque xénophobe. Asada habitait Kyoto depuis deux ans et parlait le japonais avec un accent prononcé. Il se débrouillait mieux en anglais et c'est pourquoi, pendant la journée, il s'improvisait guide touristique. Les loyers étant exorbitants dans cette ancienne ville impériale, Asada avait choisi d'habiter sa voiture, pendant les mois d'été, et y entreposait ses peurs, ses secrets, son espoir et ses arômes : le cari digéré, le curcuma jaune acidulé, transpiré. Au Bangladesh, toute sa famille, qui était morte lors de la guerre contre le Pakistan, était enterrée sous un papayer, en terre très fertile. Lui, il avait fui sa carrière d'acteur de cinéma pakistanais trois jours après les obsèques. Il était venu au Japon, car il en connaissait la langue. Son père, un homme érudit et bourgeois, lui avait appris le japonais quand il était plus jeune.

J'ai payé Asada pour qu'il me fasse visiter Kyoto et ses environs dans son taxi. Il y a deux mille temples et un palais impérial à Kyoto. Asada me faisait prendre des photos. « Regarde comme c'est beau, disait-il. Va te mettre devant, je vais prendre une photo de toi ».

Je regrette aujourd'hui de ne pas avoir une seule image de lui assis en face d'un de ces temples. À l'extérieur du temple de Kanchi, Asada a acheté un oiseau en cage ; les Bouddhistes croient que libérer un oiseau encagé améliore le karma. Certains Japonais vendaient donc des oiseaux dans de toutes petites cages de bambou à l'extérieur des lieux de culte pour permettre aux plus fortunés de faire une bonne action, de se rendre valeureux. J'ai délivré l'oiseau de sa cage afin de retrouver ma propre liberté. Il s'est envolé et a perdu l'équilibre en se posant sur une branche, battant deux fois des ailes pour retrouver la stabilité.

La nuit tombait et j'avais épuisé ma pellicule photo. Pour terminer la journée, Asada m'a invitée dans un bar à sushis situé sur une grande véranda suspendue au-dessus de la rivière qui traverse la vieille ville. Au tournant de la rue, se trouvait une geisha qui, vêtue de son kimono en brocart rosé, marchait au centre de la rue piétonnière. Elle portait de minuscules chaussures de bois qui semblaient contraindre ses pas. Son visage était fardé de blanc et ses lèvres peintes de rouge. En essayant de replacer une mèche rebelle dans son énorme chignon noir, elle a fait tomber une petite fiole de son sac. Se penchant lentement pour ne pas tomber de ses souliers, elle l'a ramassée en hochant théâtralement la tête. Rue Kawara, face au Sentier des Philosophes, deux hommes étaient debout devant la grande porte du restaurant. Asada a discuté avec eux et les deux hommes nous ont ouvert la porte. Les étrangers ne sont pas toujours bienvenus dans certains établissements. J'étais étonnée d'entendre Asada parler le japonais avec tant d'aisance. Une fois à l'intérieur, nous avons choisi deux places au bar. Trois hommes vêtus de blanc s'affairaient à préparer les sushis et sashimis devant nous. Avec de longs couteaux aiguisés, ils tranchaient la chair rose du poisson, enroulaient des lamelles de concombres dans des feuilles d'algues desséchées, déposaient des morceaux de gingembre marinés dans des assiettes carrées, nous versaient des lampées de saké chaud dans de petites tasses. Asada a commandé divers morceaux colorés au fil de notre conversation. Il a posé des questions aux cuisiniers. Il m'a appris à dire : « Deux morceaux de thon à queue jaune et un oursin de mer, s'il vous plaît ». J'ai passé ma commande au chef en retenant un fou rire.

Le restaurant était plutôt petit. Les serveuses portaient de longs kimonos de soie bleutée. Très sérieux dans leurs complets noirs, des hommes d'affaires discutaient à voix basse à une table près de nous. Il y avait une grande élégance dans le mouvement des baguettes laquées qui soulevaient les morceaux de sushi et les transportaient avec assurance vers les lèvres des gens qui nous entouraient. C'est à ce bar qu'Asada m'a parlé de celle qu'il aimait.

Elle se nommait Yoriko. Yoriko Sumatomi, première fille d'une famille de pêcheurs en haute mer. Il l'avait rencontrée trois mois après son arrivée au Japon, la nuit, lorsqu'il patientait dans son taxi. C'était presque le matin et il pleuvait abondamment. Asada attendait les clients au poste de taxi à l'angle des rues Kawara et Shjo, devant une grande maison traditionnelle qui appartenait à Madame Saito. Yoriko était sortie de la maison bleue en claquant la porte et avait couru vers la voiture d'Asada. Pour se protéger de la pluie, elle tenait, au-dessus de sa tête, son sac à main en sequins noirs. Ils ne s'étaient rien dit à part les indications de la route à suivre et le prix de la course. Mais Asada jetait des coups d'oeil dans son rétroviseur à chaque feu rouge. C'est un peu par la force des choses qu'Asada et sa cliente étaient devenus amis. Après cette première rencontre, leurs chemins n'allaient cesser de se croiser.

Asada était toujours le premier de la file lorsque Yoriko sortait de chez madame Saito. Il croyait que c'était le destin. Il allait la reconduire chez elle presque tous les soirs. Chaque fois, il voulait lui dire combien il la trouvait splendide. Elle lui parlait d'astronomie, de Galilée, de Kepler, du télescope qu'un Américain venait de lui donner et de son observation quotidienne des astres. Elle voulait étudier l'astronomie à l'université. Asada aimait la douceur des mots de Yoriko et les étoiles qu'elle avait dans les yeux. Il se doutait de son métier, mais ne lui en parlait jamais. Tout au long de la nuit, il voyait dans son rétroviseur les hommes qui montaient chez madame Saito, mais son imagination ne les accompagnait jamais auprès de Yoriko.

Du rétroviseur pendait une déesse hindoue avec quelques bras en trop. Un soir, alors qu'il traçait avec un peigne une raie dans ses épais cheveux noirs, quelques pellicules étaient tombées sur ses épaules. Il les avait balayées de la main droite et il avait vu dans le rétroviseur Yoriko avancer. Quand elle était entrée dans le taxi bleu poudre, il l'avait invitée à aller boire un thé et à manger une pointe de tarte. Depuis son arrivée au Japon, il se vautrait dans les sucreries. Rien n'est vraiment sucré au Japon, mais c'est toujours plus sucré qu'au Bengladesh. Yoriko avait accepté l'invitation par amitié mais aussi par charité. Son temps était strictement tarifé et elle ne le dispensait gratuitement que très rarement. Elle s'était retrouvée assise devant lui dans une maison de thé éclairée au néon blanc. Ses longs cheveux noirs balayaient le rebord de la table. Sur son visage, on voyait des traces de maquillage nettoyées en vitesse. Ses yeux étaient légèrement rouges. Il avait commandé une pointe de tarte à la poire, un thé et un biscuit aux amandes, ce qui était, à son avis, un très bon choix. Elle avait commandé un thé vert et un bol de salade de fruits. Elle aurait pu demander tout ce qu'elle voulait.

Cette nuit-là, sous la lumière crue du néon blanc, Yoriko lui avait raconté qu'elle exerçait le métier de geisha. Elle lui avait parlé de son commerce succube, de ses péchés d'enjôleuse. Elle avait fui les filets de pêcheurs de son village côtier pour se retrouver dans les *love motels* d'Hiroshima. Consciente des mauvaises rumeurs qui la poursuivaient dans les rues de son quartier, elle avait fui Hiroshima pour s'intégrer au milieu plus respectable des geishas de Kyoto. Elle lui avait parlé de sa haine de l'amour, de l'amour qu'elle avait choisi de sacrifier. Elle avait découvert une vérité cachée, ensevelie. Le désir se fout de l'amour. Le désir se fout surtout de la morale. Elle avait vu à la télé un film documentaire sur les punitions qu'on infligeait aux prostituées irlandaises au début du siècle. Les madeleines, formant un ordre religieux, disaient savoir purifier les femmes qui avaient fait le commerce de leurs charmes. Dans ces couvents isolés au milieu de la verdure éblouissante, l'Église donnait un nouveau nom et prénom aux hérétiques de la chair et les forçait à un labeur symbolique de purification en les faisant travailler dans les lessives. Expiation au savon doux. Elles lavaient, frottaient les draps souillés des hôpitaux, des prisons et des orphelinats où leurs enfants avaient été envoyés. Après leur réhabilitation, qui durait près de trois ans, les religieuses en cornettes leur tendaient un chèque

114

certifié de trente shillings. Six dollars pour trois ans de travaux forcés.

Yoriko avait parlé avec franchise, car elle savait très bien que personne ne peut aimer une geisha. Elle voulait faire comprendre à Asada qu'elle était tachée. Asada ne savait que dire. Mais il savait qu'il voulait la sauver et l'aimer.

Asada était allé la reconduire chez elle. Cette nuit-là, comme la première fois où ils s'étaient rencontrés, une forte pluie avait nettoyé les rues de la ville. Les essuie-glace du taxi allaient et venaient sur des airs de musique indienne. Puis la pluie avait cessé. La brise faisait tomber l'eau des feuilles des cerisiers et, pendant un moment, il ne pleuvait que sous les arbres. Asada ne trouvait plus les mots qu'il voulait lui dire. S'il avait eu assez de yens, il serait allé voir Mme Saito et aurait demandé la main de Yoriko en échange d'une dot substantielle. Mais tous ses avoirs n'auraient pu lui donner plus d'une heure avec elle. Tout ce qu'il aurait voulu faire c'était la serrer contre lui.

Le lendemain de cette soirée d'aveux, Asada n'avait pas vu Yoriko sortir de chez Madame Saito. Il avait demandé aux autres chauffeurs s'ils l'avaient vue. Vers deux heures du matin, après être allé reconduire un touriste australien jusqu'à sa chambre d'hôtel, car il était ivre et incapable de marcher, Asada était descendu de son taxi pour se rendre devant la maison bleue. Il avait frappé à la porte, inquiet, ne sachant à quoi s'attendre.

Une femme était venue ouvrir : devant lui, un grand escalier et, sur chaque marche, un lampion blanc. Dans la pénombre, il avait escaladé les marches avec précaution. Arrivé à l'étage, il avait remarqué que les portes des divers appartements étaient fermées. Au centre de la pièce principale se trouvait un grand lustre et, dans le coin, une goyave chinoise et des bâtons d'encens au jasmin sur une assiette déposée devant l'image du Bouddha. C'était une offrande que Madame Saito avait placée dans le coin Est de la pièce pour protéger ses filles des mauvais esprits. Une femme l'avait mené dans une pièce où des hommes, prenant soin de ne jamais se regarder dans les yeux, feuilletaient des livres. De belles filles élancées allaient et venaient, enveloppées de tissus vaporeux. Elles semblaient toutes de différentes nationalités. La lumière pâle provenait des lampions blancs dispersés un peu partout dans les différentes pièces comme de petites étoiles dans le ciel. Un grand nègre fumait des cigarettes dans un coin. Assis sur son trône, il faisait des ronds de fumée. Une voix de soprano résonnait partout. Asada voyait par la porte entrouverte d'une chambre une grande Algérienne en robe couleur outre-mer, qui chuchotait dans une langue aborigène avec un homme en complet trois pièces. Dans les mains de la femme, il y avait une liasse de yens.

Personne ne remarquait, assise au fond du corridor, la Chinoise vêtue de noir qui brossait ses longs cheveux obscurs. Une femme rousse était venue s'agenouiller devant la table en vitre dans la salle où les hommes attendaient et y avait déposé un plat d'argen-

116

terie rempli de figues bleues. Elle s'était agenouillée, dans un silence religieux, devant ces hommes qui avaient tous l'air inquiet. Quand elle s'était tournée, ils avaient vu que le creux de son dos était tatoué de l'étoile des Rois mages. Asada avait demandé à cette femme s'il pouvait voir Yoriko. Elle avait répondu que Yoriko ne travaillait plus. Elle avait été choisie par un Américain pour devenir sa femme, dans son pays. Cet homme allait lui donner la chance d'étudier l'astronomie en échange de vœux de fidélité. Asada la regardait, les yeux arrondis par la déception. Il avait passé sa main dans ses cheveux et avait redescendu les escaliers illuminés. Un à un, lentement. Il se souvenait du bois de teck qui craquait à chaque marche. Il entendait le rire des geishas résonner derrière lui.

Il n'a jamais plus stationné sa voiture devant la grande maison bleue à l'angle de Kawara et de Shjo. Il se gare maintenant au poste de taxi aux portes de la ville. Là où je l'ai rencontré. Maintenant, Asada se dévoue uniquement aux divertissements des touristes de passage dans la ville. Il leur montre ce qui est beau et prend des photos d'eux devant ce qui est beau.

Blue Valley tea made in Malaysia

Cameron Highlands, vallée du thé, Malaisie centrale, le matin. La voix d'un homme résonne dans les montagnes environnantes, chantant *Allah hu akbar* ainsi que d'autres mots familiers mais incompréhensibles. Une brume épaisse se lève lentement, comme un voile de mousseline que l'on soulève doucement pour découvrir la beauté de la mariée. Tout est immobile. Bientôt, les cueilleurs de thé, leur panier en osier attaché sur le dos, seront visibles dans la vallée. La rosée perle sur les brins de gazon vert qui se trouvent sous mes pieds nus. Il fait presque froid.

Depuis quelques semaines, je vis dans ce vieux monastère catholique, perché sur le haut plateau d'une montagne ; il est tenu par un prêtre français qui, occasionnellement, souffre de doutes religieux importants. Je reste ici à cause de la fraîcheur, craignant de redescendre dans la chaleur diabolique de Kuala Lumpur ou de Malacca. Je traîne toute la journée, je lis des livres, je cueille des roses, je ressens ma solitude. Je tolère mal la nature et, d'y rester, est pour moi un exercice. Dans la verdure, je me sens seule. Le silence de la végétation m'oblige à réfléchir sur ma vie. Je souffre d'une curieuse déformation de l'esprit qui fait en sorte que, lorsque je me retrouve près d'une forêt, je pleure. Comme si la forêt me contaminait de son silence.

Jean, le prêtre exilé, a choisi cette oasis de calme et de fraîcheur dans les hautes terres pour accueillir les pères missionnaires qui ont attrapé la lèpre à Bombay, la dysenterie à Hanoi ou la malaria un peu n'importe où. Il les soigne et les renvoie dans la chaleur aqueuse ou bien il les regarde mourir et les enterre dans le petit cimetière derrière le monastère. Quand il n'a pas de malades à sa charge, il cultive ses vastes champs de roses pour les vendre en ville. C'est ce que l'on fait quand on a presque perdu la foi. On se lance dans le commerce.

Jean a dix employés à sa charge, et c'est Samsala, sa vendeuse de roses de Thana Ratha, qui me l'a présenté. J'ai acheté un énorme bouquet de roses blanches enveloppées dans du papier journal à son échoppe au marché près de la rivière. Elle parlait un peu français. Je l'ai suivie dans le chemin étroit qui mène au monastère car elle a insisté. Mais aussi parce que je me sentais très seule.

Quand j'ai rencontré Jean, il portait un habit et un col romain. Il se tenait droit et souriait. Il m'a tendu la main et sous ses ongles, il y avait de la terre. À cette altitude, je voyais les nuages s'accrocher aux montagnes derrière lui. Il m'a invitée à prendre le thé et à rester aussi longtemps que je le voulais.

Avant que Chi, la femme de ménage chinoise qui s'occupait du monastère, ne succombe au paludisme, Jean ne buvait pas de thé. Depuis, il a commencé à boire du thé *Blue Valley* que l'on retrouve dans des boîtes de métal sur lesquelles on voit l'image d'une feuille verte et allongée. Chaque boîte contient cinquante sachets. Il boit ce thé quatre fois par jour, une fois au petit déjeuner, deux fois en après-midi et le soir après le repas. Il le boit avec du miel de trèfle et du lait, mais je l'ai vu mettre une cuillerée de sucre granulé dans sa tasse quand il n'y avait plus de miel. Jean me parle souvent de Chi. Il me parle de petits détails. De la façon dont elle pliait les linges à vaisselle, de son intérêt pour la théologie, de son goût pour les mûres sauvages.

Ce matin, les mûriers grimpants qui bordent le monastère sont en fleurs. Mes pieds effleurent l'herbe mouillée et la vivacité de la nature environnante me donne envie de croire en Dieu. Jean est assis sur une chaise pliante près de la porte et tient sa tasse avec les deux mains. Je tire une chaise et m'assois près de lui. Son visage est trouble. D'un mouvement vif, il jette le contenu de sa tasse dans l'herbe. Ses cheveux sont en bataille comme s'il n'avait pas dormi de la nuit. Avec un brin d'excès dans la voix, il me dit que Samsala lui vole de l'argent depuis plusieurs mois et qu'il vient de la mettre à la porte. Il enchaîne avec une réflexion sur le péché. Une réflexion qui ressemble à une crise religieuse. Il n'est pas certain de la nature du péché, il ne sait pas si le péché est véritablement relié à la rédemption ou la damnation. Il m'explique que, dans le passé, il a parfois enfreint un ou plusieurs des dix commandements et presque simultanément, demandé pardon. Il a diffamé le nom du Seigneur en se donnant un coup de fourche dans le pied lorsqu'il tournait la terre dans le jardin. Il a trompé un commerçant de Singapour en lui vendant quarante caisses de bulbes de roses à un prix exorbitant. Après ses prières d'expiation, il se demande toujours si Dieu lui a pardonné ses écarts de comportement. Il me dit que s'il a été pardonné, les commandements sont alors inutiles.

La journée est longue et silencieuse. Le départ de Samsala plonge tout le monde dans la tristesse. Dans les roseraies, les employés gardent les yeux rivés sur les épines. Personne ne parle. Jean reste enfermé dans sa chambre. Avant le souper, je monte au troisième étage et je frappe à sa porte. Je ne suis jamais entrée dans sa chambre auparavant. De sa voix rauque, il demande qui est là. Je l'entends tousser pour éclaircir sa voix. Après quelques minutes, il ouvre la porte et me fait entrer. Il est debout au centre de la pièce. Je sens son inconfort. À sa droite, il y a une grande bibliothèque. Près de la bibliothèque, il y a un lit simple avec les draps bien tirés et, au-dessus, accroché au mur, un crucifix. Sur le mur du fond, des boîtes de thé sont empilées les unes par-dessus les autres. Elles couvrent le mur entier et la lueur de la lampe de chevet fait miroiter le métal brillant. Les boîtes de thé portent toutes la même étiquette : *Blue Valley tea Made in Malaysia*. Il y a au moins deux cents boîtes qui contenaient cinquante sachets chacune. Ce sont toutes les boîtes de thé que Jean a bu depuis la mort de Chi, sa petite servante chinoise. Je me sens comme une intruse. Témoin de ses péchés.

Maintenant, je bois rarement du thé. Sauf quand je vais chez ma grand-mère, qui est veuve depuis cinq mois. Elle le sert dans des tasses en porcelaine anglaise qu'elle garde dans le buffet vitré. Elle boit son thé avec un peu de citron et jamais de sucre. Quand j'entends sa tasse, qu'elle dépose délicatement, tinter contre la soucoupe, je pense aux boîtes de thé de Jean, rangées soigneusement dans sa chambre, comme des talismans de sa solitude.

La lance guerrière de Surabaya

Dans la mer de Flores, au centre du grand archipel indonésien, se trouve l'île de Bali. Une toute petite île entre Java et Lombok. Bali signifie l'île des dieux dans la langue locale. Pour moi, Bali signifie perdre la foi. Je voyage depuis quelques temps pour oublier tout ce que j'ai appris. Ma « désinstruction » est lente et mène à une éducation, celle des choses. La sensation de ma main sur le dos arqué d'une feuille de nymphéa humide, le son du gamelan le matin, le goût de l'alcool de riz.

Je perds la foi en tout sauf en Wayan et ses deux soeurs, trois Balinaises qui tiennent une pension à Ubud, village de peintres et d'artisans. Elles m'ont expliqué que les Balinais portent le nom associé à leur caste. Bagus pour les prêtres, Dewa pour les rois, Gusti pour les guerriers et Sudra pour les autres. Chez les Sudra, il est même facile de connaître l'ordre de naissance des enfants. Le premier se nomme toujours Wayan, le second Made, le troisième Nyoman et le quatrième Ketut. Quand le cycle est terminé, on recommence avec Wayan pour le cinquième qu'il s'agisse d'un garçon ou d'une fille.

Dans la petite rue, face à la pension, des singes se querellent devant une statue de Bouddha couché, les yeux mis-clos. Sous le soleil du matin, un grand bonheur accorde ma respiration aux soupirs du monde. Wayan et moi sommes assises sur les marches et elle me brosse les cheveux pour essayer d'enlever les nœuds qui se sont formés à la base de ma nuque. La douceur des mains d'une femme me fait perdre confiance en l'amour des hommes. L'amitié, seule rédemption de l'amour périssable et dangereux. Abruties par le soleil, nos mouvements ont la langueur des matins qui suivent les nuits d'ivresse. Je lui apprends quelques mots de français et elle me fait prononcer quelques mots en *bahasa indonesia*, la langue officielle qu'on enseigne dans les écoles. Elle me demande de lui parler de mon pays pour qu'elle rêve encore un peu aux épinettes, aux gratte-ciel et à un mari riche qui a un emploi dans la haute finance. Tout ce dont elle n'aura jamais besoin pour être heureuse. Made, assise sur la première marche, fait ses devoirs dans un tout petit cahier quadrillé. Nyoman croque dans une pêche mûre. Le jus coule sur son menton, elle l'essuie du revers de la main. Nous sommes calmes et nous nous regardons avec des sourires insouciants. Mais voilà qu'elles me demandent de leur parler de ma famille, de leur décrire les traits de mon père, de leur dire les noms des rues où il a vécu, de leur raconter l'histoire de sa rencontre avec ma mère. Nyoman me sert le thé et je lui demande une chique de bétel. On prétend qu'il faut en mâcher pour bien prononcer le *bahasa indonesia*. Mais je raconterai mon histoire en anglais. Made pose la feuille à plat sur sa paume et la badigeonne de chaux avant d'écraser, à l'aide d'un petit pilon en pierre, un mélange de feuilles de tabac, de noix d'arec, de réglisse et de feuilles d'anis. Je mords dans la feuille verte pliée en triangle et pousse la chique entre ma gencive et ma joue. Je commence à raconter mon histoire comme si elle n'était pas la mienne, sachant déjà qu'elle ne sera pas assez extraordinaire car elles croient que les rues chez moi sont pavées d'or.

Je suis née de deux langues qui se heurtent dans la terre de mon enfance. Mon père a vécu sa jeunesse en anglais protestant et ma mère en français catholique. Mon grand-père, Émile, qui avait fort belle allure, était chauffeur de taxi dans l'Est de Montréal. Sans trop d'effort, Émile avait séduit une jeune anglaise avec des perles et des bas de nylon. Elle arrivait de Londres où sa mère venait de mourir prématurément. Elle venait s'occuper de son père qui était peintre et s'émerveillait devant les paysages forestiers et nordiques canadiens depuis trois ans. Son père, Charles, était ami d'un groupe de sept peintres qui allaient un jour devenir célèbres. Excentrique de nature, Charles collectionnait les plus belles antiquités moyen-orientales. Sa maison était une caverne d'Ali Baba avec des sabres, des épées ciselées et l'odeur du tabac à pipe. Deux mois après le mariage de la jeune anglaise avec le chauffeur de taxi, ce dernier se mit à vendre les lances et les épées centenaires de son beau-père pour quelques dollars à la taverne « Verres stérilisés ». La taverne n'avait pas d'autre affiche qui lui donnait un nom, mais il y avait ce néon orange qui promettait la stérilisation des verres ainsi que l'interdiction des femmes. Un jour, en mai, il a vendu la lance guerrière que Charles avait ramenée de Surabaya à l'époque où il

131

voyageait à Java, pour peindre les vahinés. C'était une lance avec un long manche en ébène incrusté de pierres précieuses. La lame était faite de l'alliage de deux minerais : un terrestre, le fer et l'autre céleste, extrait des météorites tombés sur le sol indonésien. En cet après midi de mai, Elysia, la jeune anglaise excédée, jeta une bouilloire en fonte au visage de son mari. Ce fut la fin de tout. Ma grand-mère était une femme divorcée à une époque où on ne divorçait pas. Elle était protestante-anglicane et vénérait la reine d'Angleterre. Elle gardait un cahier rempli de coupures de journaux avec des articles et des photos de la monarque.

Quand mon père eut dix-sept ans, il tomba lui aussi amoureux d'une femme qui parlait le français ; elle allait devenir sa femme. Il devint soudainement d'allégeance politique dite nationaliste qui prône l'indépendance de la province dans laquelle je suis née. Un peu comme le veulent les Timorais, mais avec beaucoup moins de violence et beaucoup plus d'indécision. Un jour, dans une manifestation du Ralliement pour l'Indépendance Nationale, il fit brûler le drapeau de l'Angleterre et passa la nuit en prison. Lorsque les policiers appelèrent Elysia, affolée, elle leur demanda la raison de son arrestation. Ils lui expliquèrent la situation. Elle soupira, passa sa main dans ses cheveux, hésita quelques instants puis elle dit : « Leave him in jail ».Ce fut le chauffeur de taxi qui vint le chercher.

Le bétel commence à se décomposer dans ma bouche et je le crache sans broncher. Wayan me regarde incrédule. Elle me dit que la lance guerrière était peut-être un *keris*, un couteau à la lame ondulée porteur d'une force surnaturelle qui unit l'objet à son proprié-taire. Il est dit dans les légendes qu'un prince balinais, devant épouser une jeune fille, ne se rendit pas lui-même à la cérémonie et se fit représenter par son *keris*. L'innocence et la vérité luisent dans son regard. Wayan croit en la magie.

J'aspire à sa naïveté. Je tente de ne croire en rien d'autre qu'au goût acide du bétel. Je prends conscience du présent et n'attends plus rien de l'avenir. Me nour-rir de la beauté des choses, des mains douces de Wayan, des lanternes en papier de riz qui flottent au vent, de la terre entière, du parfum des cerises sauvages.

Pour que tu retrouves toujours

le chemin vers chez toi

J'étais dans une cabine vitrée de l'*International Telephone Office* de Bangkok quand on me l'a annoncé. Il était midi. J'étais rentrée du Cambodge pendant la nuit sur le vol 238 en provenance de Phnom Phen. L'avion avait atterri avec 23 minutes de retard, et personne ne m'attendait à l'aéroport. J'étais libre. Je n'ai pas eu à trahir les événements de mon voyage en les racontant avec des mots inadéquats à quelqu'un outré d'avoir payé un montant exorbitant pour le stationnement à l'aéroport. J'étais heureuse d'être de retour à Bangkok, de retrouver le confort américanisé, de revoir des visages blancs, de pouvoir, si j'en avais envie, acheter une glace rhum et raisin au *Seven Eleven*. Bangkok est comme une chambre de décompression entre l'Orient et l'Occident. Une porte par laquelle on entre ou on sort de l'Asie méridionale. Je connaissais par cœur la route de l'aéroport au centre-ville. Debout, dans l'autobus numéro deux, en direction de Ko Shan Road, j'ai regardé défiler les gratte-ciel illuminés. Je ne savais pas encore ce qui venait de se produire. Quand je suis descendue, je me suis arrêtée à une échoppe nocturne, au coin de la rue, pour acheter du riz sauté. J'étais réconfortée par le visage familier de la jeune femme un peu grosse qui portait un short fleuri et un T-shirt avec l'inscription *Amazing Thaïland* en lettres colorées. Ses orteils étaient vernis de laque rouge et elle chaussait des « gougounes » de plastique. En ville comme à la campagne, les Thaïlandais portent ces sandales usées et marchent d'un pas lent, traînant. On entend un peu partout, comme une petite musique rythmée, le claquement du caoutchouc contre les talons noircis. La jeune fille ronde faisait sauter le riz dans son wok tandis que je pensais à mon frère qui, lui aussi, possédait une paire de « gougounes ». Celles qu'il portait l'été quand on allait se baigner au lac Creux. Il portait ses « gougounes » dans l'eau, dédaigneux de se retrouver les deux pieds dans la vase. Souvent, il se bornait à rester debout, l'eau jusqu'au cou, ses grands yeux gris écarquillés, ses cheveux blonds un peu mouillés sur la nuque, priant que sa jambe ne frôle pas une algue. Si, par malheur, un crapet-soleil venait se frotter contre sa jambe, il frissonnait. Derrière ses yeux de séducteur et ses six pieds trois pouces, il y avait toujours mon petit frère. Le soir, sur la plage, on dansait le flamenco parmi les mouches à feu en buvant du vin sucré. Du vin d'Alsace. On lançait des galets plats dans l'eau en essayant de les faire ricocher au moins trois fois. On mangeait des mille-feuilles à la crème avec quelques grains de sable entre les étages de pâte feuilletée. Mathieu étudiait dans une école hôtelière pour devenir maître saucier et chef pâtissier, au grand désespoir de nos parents qui voulaient faire de lui un actuaire. Il parlait souvent de ses longues journées tranquilles passées dans la cuisine en acier inoxydable de l'école, à préparer des *tiramisù*, des montagnes de profiteroles, de la *gelato di melone*. C'était son bonheur. Mon frère était le seul qui me manquait véritablement quand j'allais travailler à Bangkok. Il m'envoyait des lettres en poste restante. Il boudait le courrier électronique. Ses lettres me faisaient toujours mourir de rire devant les postiers au regard incrédule.

La jeune femme un peu grosse avait enveloppé le riz dans la feuille H7 du Bangkok Post, où s'étalait un court article que j'avais écrit à propos d'un peintre du nord de Chiang Mai, qui ne peignait, depuis dix ans, que des nénuphars. Elle m'a demandé si je voulais des baguettes. J'ai hoché la tête. Je me suis sentie chez moi en tournant le coin pour emprunter la petite ruelle où se trouve la maison de chambres où j'habite lorsque je suis de retour à Bangkok. Sur une affiche rouge était inscrit *Chen's Guesthouse* en blanc ; dans le jardin, quelques touristes allemands buvaient du whisky sous les étoiles.

Eux aussi semblaient heureux d'être à Bangkok. C'était sûrement leur première soirée ici, et ils souriaient, incrédules, d'être enfin si loin de chez eux. À la réception, Chen a souri quand il m'a aperçue entre les feuilles de fougères de la terrasse. Il s'est avancé pour m'embrasser en me donnant la clef un peu rouillée de la chambre 602. Je lui ai demandé de monter la boîte de livres que je lui avais laissée avant de me rendre au Cambodge.

Chen, un homme à la peau foncée, trapu, les épaules luisantes d'huile de palme, gravissait en silence les marches de bois de la vieille maison de chambre avec ma boîte de livres. Il grimpait pieds nus, ses orteils courts adhéraient sans bruit aux aspérités du bois avec l'agilité des Indigènes de la forêt tropicale. Son short glissait de ses hanches et découvrait les tatouages enfouis dans la raie de ses fesses. Je le suivais en faisant imperceptiblement tourner avec mon index droit l'anneau que j'avais fait percer dans mon nombril quelques mois auparavant, dans cette même ruelle, par deux punks qui s'étaient lancés en affaires. L'affiche devant leur échoppe indiquait : *Piercing and Tatoos*. L'associé, dont le visage était entièrement couvert d'anneaux, tenait un pot de *tiger balm* sous mon nez et me demandait d'inspirer profondément l'onguent médicinal pendant que l'autre insérait l'aiguille. Une preuve de mon immaturité que je regrettais un peu devant l'infection qui persistait. Chen m'avait assuré qu'ils utilisaient une aiguille neuve à chaque nouvelle opération. Le souffle à la fois fétide et suave de Chen semblait mouvoir à lui seul la masse graisseuse, souple et musclée de son corps jusqu'au seuil d'une pièce sans lumière. Son haleine, je l'ai reconnue plus tard, c'était celle que laisse au fond de la gorge le durian, ce fruit hérissé de piquants dont les Thaïlandais et les Malais se disputent la chair blanche aux sécrétions laiteuses.

À l'étage, Chen avait salué un couple de Français qui ne devaient pas avoir plus de dix-huit ans. Une belle fille mince à la peau dorée et aux longs cheveux ramassés en une grosse tresse noire qui effleurait le bas de son dos un peu découvert. Elle était accompagnée d'un garçon presque aussi beau. Ils semblaient avoir des problèmes avec leur clé. Ils rentraient d'une soirée mouvementée et étaient un peu ivres. Une fois la porte de ma chambre fermée, j'ai dressé l'inventaire du contenu de ma boîte. J'ai retrouvé mes livres avec le même plaisir qu'on retrouve de vieux amis. Dans le fond de la boîte se trouvait une boussole de navigateur que mon frère m'avait donnée avant de partir. Il avait fait graver sur sa surface lisse et cambrée les mots suivants : *Pour que tu retrouves toujours le chemin vers chez toi.* Il y avait aussi joint une lettre qui expliquait qu'au dix-septième siècle, les femmes des grands navigateurs avaient l'habitude, dans les cérémonies qui précédaient les circumnavigations, de présenter une boussole à leur mari pour qu'ils retrouvent leur chemin vers la maison. Épuisée, je me suis jetée sur le lit et j'ai fixé le ventilateur quelques minutes avant de m'endormir.

Il était six heures du matin quand je me suis réveillée. Entre le sommeil et l'éveil, pendant quelques secondes, je ne savais plus où j'étais. Une bouffée de bonheur s'est emparée de moi et j'ai allumé une cigarette. Le papier-peint rose de la chambre était un peu déchiré et l'humidité l'avait boursouflé près du plafond. Je suis descendue sans prendre de douche, mes cheveux étaient mêlés, et je les ai attachés en chignon avec un élastique. Dans le jardin, un homme était assis à la table du fond et lisait un journal. À la une, le Brésil avait gagné le dernier match de demi-finale de la coupe du monde. Assise à ma table habituelle, j'avais hâte de manger des crêpes aux bananes et de boire un *milk-shake* à la mangue. Partout au Cambodge, on prend le petit déjeuner avec une soupe dans laquelle baignent du riz gluant et des morceaux de poisson. Les déjeuners de chez Chen me manquaient. Peng, la serveuse, portait un chandail de l'université de Melbourne un peu usé aux coudes. En septembre, elle avait eu une aventure avec un Australien qui était de passage à Bangkok. Il lui avait laissé ce chandail. Pour elle, ce n'était pas qu'une simple aventure et la voir porter ce chandail m'attristait. Peng parlait avec le chef derrière le comptoir de la cuisine à aire ouverte. Chen était à son poste, à la réception, et expliquait à deux Australiens, une carte géographique à la main, comment se rendre à la gare ferroviaire. Dans la ruelle, les commerçants s'affairaient à monter leurs échoppes. Un jeune garçon pelait des ananas en coupant de longues spirales dans la chair. La radio était allumée et, étrangement, il n'y avait que des chansons de Frank Sinatra qui tournaient. C'est qu'il était mort dans la nuit et on faisait son éloge sur toutes les chaînes. J'ai allumé ma deuxième cigarette de la journée, sans vraiment le vouloir, mais je n'avais rien d'autre à faire de mes deux mains.

La jeune Française que j'avais aperçue la nuit précédente à l'étage est apparue sur la terrasse, sans son copain. Elle ne portait pas de souliers. Ses jambes étaient minces et longues, sa jupe était courte. Elle a traversé lentement le café. On la regardait tous. L'homme qui lisait son journal, Chen, les deux Australiens, les cuisiniers thaïs, Peng et moi. Nous avons remarqué la grâce dans le mouvement de ses hanches quand elle s'est glissée entre deux tables. Quand ses

142

yeux balayaient la pièce, nous esquivions son regard et quand elle les tournait vers la ruelle, nous la regardions de nouveau.

Après mes crêpes, je ne suis même pas remontée à ma chambre pour me changer ; je suis tout de suite allée chercher mon courrier à la poste restante.

Le bureau de poste était à l'autre bout du monde. Pour éviter les embouteillages, j'ai emprunté un bateau-taxi sur la rivière qui traverse la ville. Les rues de Bangkok sont toujours engorgées de voitures et un réseau de taxis sur la rivière fait la navette entre différents points de la ville pour épargner, à qui le veut bien, l'empoisonnement au monoxyde de carbone. Le bateau longeait les maisons sur pilotis où des enfants nus et un peu sales jouaient. L'eau était d'un beige opaque. J'avais le mal de mer. Je me suis presque mise à courir vers le bureau de poste quand j'ai mis le pied sur la terre ferme. Quand on est parti longtemps de chez soi, il y a quelque chose de rassurant dans le fait de recevoir des lettres de ceux qu'on a laissés derrière. C'est un bonheur de fouiller avec vigueur dans les immenses classeurs de la poste-restante remplis de lettres d'amour en provenance de Londres et de Paris, de lettres de haine de Madrid, de lettres qui ne retrouveront jamais leur destinataire et, finalement, de reconnaître une écriture familière. Une lettre qui nous est adressée.

La poste centrale de Bangkok est un chef-d'oeuvre d'art déco thaïlandais bâti à la fin des années vingt. En

1941, quand les Japonais ont pris Bangkok d'assaut, une bombe est tombée sur le toit de l'édifice et a atterri dans le hall principal sans exploser, laissant le bâtiment presque intact. En poussant la porte, la climatisation m'a frappée de plein fouet. Dans les classeurs, j'ai retrouvé deux lettres pour moi. J'ai payé les deux baths au préposé souriant et je me suis installée sur un banc pour lire tout en profitant de la fraîcheur. La première lettre provenait de mon frère. Il me racontait, avec l'ironie dont lui seul est capable, ses aventures rocambolesques des derniers mois.

Depuis trois semaines, il travaillait au restaurant Eaton du centre-ville, comme sous-chef. Il m'écrivait qu'il ne préparait pas des desserts compliqués mais qu'il s'évertuait à faire prendre d'immenses plats de Jell-O et de pouding au pain. Un samedi soir, exaspéré, après avoir travaillé comme un chien, il avait volé un carré de *Rice Crispies* avant de fermer la cuisine. Il l'avait enveloppé dans une serviette de table en papier et l'avait mis dans sa poche pour le manger dans l'autobus. Un agent de sécurité caché entre une marmite industrielle et une étagère de sachet de sauce en poudre l'avait pris sur le fait. Il avait été accusé de vol et renvoyé sur-le-champ. L'administration avait même appelé la police et mon frère avait été escorté à la maison dans une voiture de patrouille comme un criminel. J'étais morte de rire. Mon pauvre petit frère, aspirant-chef, radié de son premier emploi dans une cuisine. C'était plus fort que moi, j'ai décidé de marcher vers le bureau des téléphones internationaux pour l'appeler et lui offrir mes condoléances. Je n'avais pas téléphoné chez moi depuis quatre mois. J'allais lui faire une surprise.

Il devait être trois heures du matin à Montréal. Je rigolais à l'idée de le tirer du sommeil. J'ai marché vers l'édifice voisin. Le soleil était haut dans le ciel. La chaleur écrasante. À l'intérieur du centre des communications internationales, la climatisation faisait circuler de l'air froid empreint d'une odeur de transpiration. Je suis entrée dans la cabine vitrée numéro trois et j'ai composé le numéro pour joindre l'opératrice canadienne. J'ai demandé à faire virer les frais. La communication a été lente. Le téléphone a sonné quatre fois. C'est mon père qui a répondu. Je l'ai entendu accepter les frais. Sa voix tremblait étrangement en raison de la mauvaise réception. J'étais pleine d'enthousiasme et je lui ai demandé ce qu'il faisait à Montréal. À l'époque, il travaillait à Vancouver. J'ai supposé qu'il avait pris des vacances. Ce qui est rare. La communication par satellite décalait nos phrases de quelques secondes, ce qui nous empêchait de se couper la parole comme d'habitude. Il ne parlait pas beaucoup. Brusquement, sans dire au revoir, il m'a passé ma mère. Elle pleurait. C'est à ce moment-là qu'elle m'a dit, à moi, à moi qui étais à l'autre bout du monde, à moi qui étais dans une cabine téléphonique en plein centre de Bangkok, que Mathieu, mon petit frère, était mort. Dans un accident de voiture sur l'autoroute des Laurentides. Il avait trop bu de vin sucré.

Il n'y a jamais eu, dans ma vie, de silence aussi irrespirable que celui-là. Il n'y a jamais eu de dépaysement

145

aussi grand. J'ai raccroché le téléphone et le bruit du récepteur a résonné dans tout mon corps. Tout est devenu flou autour de moi. Je me suis assise sur le petit tabouret au centre de la cabine. Dans ma main droite, je tenais la lettre de Mathieu avec ses pattes de mouche. Un touriste américain frappait sur la porte vitrée. Exaspéré, il me faisait signe de sortir. Il voulait utiliser le téléphone. J'aurais voulu mettre un terme à sa vie à lui aussi. Je ne me souviens plus comment je suis rentrée chez Chen.

Le lendemain, je retournais à Montréal. J'ai laissé mes livres derrière, mais j'ai apporté la boussole avec moi.

Vingt-six heures de vol et d'attente dans divers aéroports dans le coma le plus profond. Vingt-six heures de vol dans l'incompréhension. Bangkok, Tokyo, Chicago, Toronto, Montréal, la chambre vide de mon frère. Je me suis couchée sur son lit, et je me suis noyée dans les draps tendus, le nez dans le tissu cherchant désespérément son odeur.

Je ne vous raconterai pas ses funérailles, car elles étaient comme toutes les autres. Sauf que c'était les funérailles de mon petit frère. Ma mère était assise sur une chaise près de la tombe. Elle pleurait toujours. Mon petit frère portait son habit de bal de finissants. Son seul véritable complet. Il y avait les amis de Mathieu. Sandrine, sa copine. Inconsolable. Il y avait aussi l'odeur du formol et celle des couronnes de fleurs.

Table des matières

147

Autres titres

Marchand de feuilles

Un train en cache un autre

Véronique Bessens

J'ai de mauvaises nouvelles pour vous

Suzanne Myre